人は誰もがリーダーである

平尾誠二
Hirao Seiji

PHP新書

はじめに

テレビ画面には、たった今戦いに敗れ、ピッチに崩れ落ちるサッカー日本代表選手たちの姿が映し出されていた。

日本時間の二〇〇六年六月二十三日、早朝。

この日、わずかに残されていた決勝トーナメント進出の望みをかけて優勝候補筆頭のブラジルに挑んだ日本代表は、一―四と惨敗。彼らにとってのワールドカップ・ドイツ大会は終わりを告げた。

ピッチでは、中田英寿がブラジルの選手と交換したユニフォームで顔を覆い、ずっと横たわったたままだ。キャプテンの宮本恒靖が歩み寄り、何か声をかける。しばらくしてようやく立ち上がった中田は、かすかな笑顔を見せながら、ピッチをあとにした。

志なかばにしてドイツを去らなければならなくなった日本代表選手たちの姿を見ながら私は、一九九九年、監督として率いたラグビー日本代表がやはりグループリーグ未勝利に終わり、決勝トーナメント進出を逃したときの、あのウェールズの苦い夜を思い出していた。

このワールドカップを、とくに日本代表の試合を、私はこれまで以上に興味を持って観戦した。これにはサッカーというスポーツが、私がプレーしていたラグビーとゲームの質において共通点があるという理由もあったが、その最たるものはやはり、ブラジル人監督ジーコに率いられた日本代表がどのような戦いを見せてくれるのかということにあった。

前任のフィリップ・トルシエが個人より組織を重視するタイプだったのに対し、ジーコは選手に大きな自由と裁量を与えたとされる。志向するサッカーを実践するために組織を第一に考え、戦術に合う選手をその中に当てはめていくのがトルシエのやり方だったとすれば、ジーコは選手個々の持つ力を最大限に尊重し、その力の集積がチーム力になるという発想を持っていたと思う。

そして、その考え方はラグビー日本代表の監督を務めていたときの私の信念と、よく似たものだった。つまり、「型」をつくって選手をそこに当てはめるのではなく、個々の技術と判断でゲームを組み立てていくことこそが真の強化と呼ぶべきものであり、そのためには選手個々の力をベースアップさせる必要があるとジーコも私も信じていたわけだ。

結果についてはご存じのとおりである。冒頭で述べたように日本はグループリーグで一勝もあげられずに決勝トーナメント進出を逃した。とくに最後のブラジル戦は、ミスマッチといっても過言ではないほどの完敗で、彼我の実力差をあらためて痛感させられることになった。

予想されたことだが、日本の敗退と同時に、いたるところでジーコ・バッシングが起こった。「決勝トーナメント進出も充分可能」というのが大会前の論調だっただけに、反動もすごかった。そして、これも私が率いたラグビー日本代表が一九九九年のワールドカップで敗退したときと重なった。

ただ、救いだったのは、今回は敗因について冷静な判断を下すメディア関係者が私の見たところでは少なくなかったことだ。彼らの主張をひと言でいえば、「ジーコの方針は決して否定されるものではなく、選手がそれに応えられるまで成熟していなかった」ということになる。与えられた自由を使いこなせるまでの本当の力が、まだ選手に備わっていなかったという意味だろう。これを私なりに敷衍《ふえん》すれば、「日本がこれまで個人というものに正面から向き合ってこなかったツケ」を、ついに今回払わされることになったということだ。

断っておくが、私は必ずしも監督としてのジーコの力量を全面的に肯定するものではない。もし仮に選手がジーコの期待に添えなかったのが敗因のひとつだったとしたら、それを認識できず、あるいは認識していたとしても、なんらかの対策を講じなかったのは明らかにジーコに非があるといわざるをえない。私には内部の事情はわからないので誤解もあるかもしれないが、ジーコがそうした個人の力をつけるための練習に充分な時間が持てなかったのでは、という気がする。

ただし、これだけは断言できる――それは、ジーコの考え方自体は絶対に間違ってはいないということである。日本サッカーの将来を考えれば、ジーコが布《し》いた方向性を踏襲すべきであり、結果が出なかったことで、「やはりジーコのようなやり方は日本人には合わないのだ」と路線を一八〇度転換して、再びトルシエ時代のような強化方法に戻すべきではないと私は思う。

サッカーやラグビー、すなわちフットボールというゲームでは、監督は選手をピッチに送り出してしまえば、ひとつひとつのプレーについて細かい指示を出すことはできない。できることはたかが知れている。せいぜいメンバーを交代させるくらいのものだ。もちろん戦略は監督が立てるのだが、それをゲームの中で具現化するためのゲームメイクは、選手たち自身が自分たちの判断で行うしかない。いかなる状況に直面しようとも、選手たちの力で対応しなければならないのだ。

それに、たとえ事前にいかに綿密に戦略や作戦を立てようとも、そのとおりにゲームが進むなどということはまずありえない。自分たちの劣勢が予想される場合はなおさらである。ましてサッカーは、野球のようにある時点が来たら攻守が必ず入れ替わるわけではないので、ターンオーバーという事態が頻繁《ひんぱん》に起こる。というより、その連続がフットボールというゲームの本質だといっていい。その局面局面で、置かれた状況はどんどん変化していくのである。それだけ不確実な要素が増えていくわけだ。

したがって、その都度、選手たちがその状況に対応し、自分自身で適切な判断を下しながらゲームを進めていかなければ、最終的にゴールにたどりつくことは不可能である。逆にいえば、そうした能力に優れた選手を多く抱えているチームが強いチームといえる。そして、ジーコの目指した日本代表とは、おそらくそういうチームだったのだと思う。

これまでの日本で、理想的なチームや組織のあり方とされてきたのは、いわば「野球型」であった。すなわち監督とも呼ぶべき上司が戦略を立て、ほぼすべてを判断・決定して指示を出し、選手にあたる部下は躊躇《ちゅうちょ》なくその指示に対し忠実に動くことを求めるというシステムである。それが「指示を仰ぎ、そのとおりにやる」日本人の資質にはもっとも合い、かついちばん効率がよいと考えられていたし、事実、とくに高度成長期には大いに機能した。未成熟の状態にある個人や組織を、一定期間内にあるレベルまで引き上げるには、最短で最適な方法だったであろう。

誤解を恐れずにいえば、トルシエのやり方もこの「野球型」だったと思う。だからこそ、彼は、身体能力は高くても組織的には未成熟だったアフリカ諸国のレベルを短期間で向上させることができたわけで、日本サッカー協会もそうしたトルシエの手腕に期待していたと思う。そして、当時の日本サッカーの実力を考えれば、彼は適任だったと思う。

ただ、その方法では限界がある。一定のレベルまで実力が上がってしまえば、もはや伸びしろがなくなってしまうのだ。そこからは選手個人個人の力が問われるのである。決められたことを忠実に実行するだけではなく、状況を瞬時に正確に捉え、すべきことを即座に判断し、行動することが求められるのだ。それをチームの全員が行わなければならない。

じつは、現代という社会の構造も、「フットボール型」に移行しつつあるのではないかと思う。不確実な要素が多く、プランどおりに物事が進んでいくことはほとんどない。ターンオーバーもたびたび起こる。たった今まで攻めていたのに、急に守りに入らなければならない状況になるケースはめずらしくないはずだ。スピード化・情報化が飛躍的に進み、人々の価値観も多様化したのに伴い、ビジネスの現場においても、あらゆる局面にスピーディかつ柔軟に対応する力が組織に求められるようになってきている。

そうした状況下では、日本サッカー協会がトルシエの強化法に限界を感じてジーコに舵《かじ》取《と》りを託したように、あらゆる組織がこれまでのような「野球型」から「フットボール型」に移行せざるをえないだろう。すなわち、上からの命令を正確に行えればいいというのではなく、組織を構成する個人個人が状況を把握し、自分で考え、正しく行動できるようにならなければ、これからは生き残ってはいけない――私は強くそう感じるのだ。

メディアの中には、ジーコが主としてヨーロッパでプレーする選手たちのテクニックやイマジネーションにあまりに多くを頼りすぎ、「こうした状況では各自がこう動く」という組織としての決め事を軽んじ、徹底させなかったことが、今回辛酸《しんさん》をなめた原因ではないかとする論調もなくはなかった。個人を尊重するあまり、組織を軽視しすぎたのではないかと……。

しかし、個人と組織は一見相反するような印象を与えるが、決してそうではない。個人は「点」、組織は多くの点によってつくられる「線」だとしよう。力強い点が多ければ線も太くなる。「点」の強さが必要なのだ。個人の力の集積が、イコール組織・チーム全体の力につながっていくのである。チーム・組織として最大限の利益を得られるよう個々が同じ判断を瞬時に共有し、そのために自分がなすべき行動に即座に移る。その連続が、チームとして、組織として動くことにほかならない。

つまり、組織とは本来、個々人がおのれの持つ技術や創造力を最大限に発揮したところに成り立つものなのである。それが「生きた、強い組織」なのだ。最初から枠をつくり、そこに選手を当てはめていく方法では、枠以上の大きさには絶対にならない。サッカーでいえば、一＋一＋一……＝一一にしかならないし、しかも、「一」の容量が小さかったら、強いチームに勝てるわけがない。「一」の容量を大きくし、そのうえで一＋一＋一……の和を一五にも二〇にもすることが必要になってくるのである。

ワールドカップ・ドイツ大会における日本の敗因の第一は、決してジーコの強化方針が間違っていたからではなく、組織重視から個人重視への舵取りがあまりに突然かつ急激だったために、選手がとまどい、個人として習慣化するだけの時間が足りなかったことに求められるべきである。

したがって、早急に考えるべきは、いかに選手たちを個人として成熟させ、成長させて、「フットボール型」の組織にシフトしていくかということだろう。そしてそれは、サッカーやラグビーといったスポーツの世界に限らず、「フットボール型社会」に生きるすべての組織が抱える共通のテーマでもあると思う。

それでは、「成熟した個人」とはいかなるものなのか。ひと言でいえばそれは、誰かに「やらされる」のではなく、自らの意志で目標や課題に取り組もうとする「内発的モチベーション」を強く持ち、そのために自分で考え、判断し、行動できる「強い個」のことではないだろうか。

ただし、そのような「強い個」は、一朝一夕にできあがるものではない。本人はもとより、指導者の努力があって初めて獲得できるものである。そのためには指導者自身も「強い個」であることが必要だ。

では、どうすれば「強い個」を獲得できるのか。そのためにはまず、「弱い自分」を知ることが大切であると思う。「弱い自分」を自覚し、その弱みを強みへと転化することができて初めて、人は「強い個」たりうるのである。

幸いにも私はよき仲間やよき指導者に恵まれたこともあって、高校、大学、社会人のすべてのカテゴリーでラグビー日本一になることができた。だが、その一方で、私のラグビー人生は不安と葛藤の連続でもあった。そして、そうであったからこそ、すなわち「弱い自分」と正面から向き合い、葛藤してきたからこそ、私は「強い自分」と出会えたのだと信じている。

本書では、そうした私の経験も含めて、「弱い自分」をいかにして乗り越え、「強い個」を確立するか、そして、「強い個」が集まった「強い組織」をどうやってつくっていけばよいのかという問題について、それぞれの視点から私なりに提示してみたい。読者の方々が「フットボール型社会」を生き抜くための一助になれば幸いである。

二〇〇六年十月

平尾誠二

目次

第二章　部下の弱さを克服させ、強さを生み出すリーダー力

第三章　人は生まれながらにしてリーダーである

第四章　強い組織は成熟した個人の集まりから生まれる

第五章　個人と組織の力を最大限に活かす戦略とは

第一章

弱さを知って初めて「強い個」は生まれる

◉弱い自分と向き合う

人間は誰でも、多かれ少なかれ「負」の要素を抱えているに違いない。不安、コンプレックス、矛盾、挫折……。仕事や人間関係などが自分の思うようにならず、ストレスを溜《た》め込んでしまっている人も少なくないだろう。

多くの人は、これらの「負」をなんとかして埋めようと考える。そして、そのために大変な労力とエネルギーを使っているのではないか。中には解消できず、かえって「負」の要素を増大させてしまうケースもあるかもしれない。そうなってしまったら、私のいう「内発的モチベーション」を呼び起こすことは難しくなる。つまり、「強い個」「強い自分」たりうることは困難になってしまうのだ。

「負」を抱えている点では、私とて例外ではない。はたから見ると、私はいつも自信満々で不安などないように映るらしい。けれども、実際はそんなことはまったくない。つねに不安に苛《さいな》まれているのが、人間というものだ。

そもそも自信と不安は表裏一体のものだと私は思っている。このふたつが本人の中で行ったり来たりしているのである。とすれば、自信満々に見えるということは、それだけ抱えている不安も大きいことを意味しているともいえる。

ただ、私は不安を「マイナス」だとは考えないようにしている。それどころか、むしろ好ましい状態であるとさえ思っている。自信と不安の中で葛藤することが、その人間の成長を促す大きな力になると信じているからだ。

事実、私はいつも自信と不安の葛藤の中で生きてきた。中学でラグビーを始めたときは、「おれにできるのだろうか」と不安でいっぱいだった。それまでプレーしたことがないのだから当然だ。その不安に打ち克《か》ち、レギュラーになると、今度はチームでいちばんうまいという自信が生まれた。

ところが、伏見工校に進学したら、また不安になった。監督だった山口良治先生の課す厳しい練習とプレーレベルの違いにぶち当たったのである。三年生になるときにはキャプテンに指名されたことで、先生とほかの部員の間に立たざるをえなくなり、人知れず悩んだこともあった。

キャプテンになるということは、どちらかといえば指導者の側に身を置くことを意味する。そうなれば、それまで一緒に遊んでいた仲間たちに対して厳しい言葉を吐かざるをえないこともあり、そのため仲間から「キャプテンになったからって、偉そうに……」と言われたこともあった。先生対生徒、言い換えれば、管理者対被管理者という対立構造の中で、どちらにも与《くみ》することができずに孤独感に苛まれた。そのときは、周囲に認めてもらうためには「誰よりも自分の実力が秀でていなければならない」と思い、がむしゃらに練習に取り組むことで乗り越えた。論より証拠、言葉よりも態度で自分についてきてもらおうと考えた。

けれども、そうやってさまざまな困難を克服し、チームとして日本一になり、高校日本代表のキャプテンになったと思ったら、今度は同志社大学で、高校とは格段に違うハイレベルな世界に放り込まれた。そして大学二年のとき、試合中に右ひざを骨折、一時は選手生命も危ぶまれた。

それも乗り越え、大学では大学選手権三連覇を達成したのだが、卒業するときには、私の考えるようなラグビーがはたして社会人でできるのだろうかと葛藤し、進路について非常に悩むことになった。

考えた末、最後に思い切りラグビーをしてから仕事に就こうと思ってイギリスに留学したのだが、渡英前にファッション雑誌でモデルを務めたと判断され、アマチュアリズムを信奉する当時のラグビー協会の逆鱗《げきりん》に触れて（実際の企画は対談だったのだが、スポンサーが提供した服を着て写真を撮ったことが誤解されたらしい。もちろん、報酬はもらっていない）、一時はラグビーができなくなる状態に置かれた。事実、日本代表のメンバーからはずされたし、「おれのラグビー人生はこれで終わりだな」と本気で思ったほどだった。

けれども、この出来事が逆に自分の中で「もう一度ラグビーをしたい」という欲求を高めることになった。それで神戸製鋼に入社したわけだが、今度はなかなか結果が出ないチームをどう変えていけばよいのかという課題に直面することになった。その頃の神戸は、有力な選手が続々と入社してきたにもかかわらず、どうしても社会人大会の壁を破れずにいたのである。

三年目にキャプテンとなった私は、少しずつ練習の内容やメンバーの意識を変えていき、同時に新しいラグビーのスタイルを創造することで、日本選手権七連覇を達成することができたのだが、引退後は日本代表監督として想像以上に高い世界の壁に苦しんだ……。

このように、私のラグビー人生はまさしく不安と葛藤を乗り越えてはまた壁にぶつかり、またそれを乗り越える、そんなことの繰り返しだったのである。

しかし、今となっては、次から次へと問題が起こり不安定で壊れやすい状態に身を置くことは悪いことではなく、むしろ自分にとっては調子がよい状態なのだと思えるようになった。不安とは、訪れる未知なるものへの恐怖であり、それがどんなものか想像を巡《めぐ》らすことによりさらに増幅される。自分の置かれている状況を見つめ、自分と対話する中でどこまで落ちるのか「底」が見えてきたときに初めて不安は払拭《ふっしょく》される。

◉「弱さ」は決して否定されるべきものではない

そうした「不安を抱えている自分」「弱さを持っている自分」のことを、「ネガティブ」だと否定的に捉える人は多い。けれども、そうした「弱い自分」とは、はたして言下に否定されるべきものなのだろうか。

私は決してそうは思わない。それどころか、「不安」や「弱さ」というものは、その人間をもうワンステップ成長させるための大切な要素だと思っている。

今の私からは想像できないかもしれないが、少年時代の私は恥ずかしがり屋で引っ込み思案だった。とくに人前で話すのが苦手で、何かの発表をする順番が自分に回ってきた日に、仮病を使って学校を休んだことがあった。

病気を理由に休んだので、家では寝ていなければならない。布団の中でじっとしていると、そんな自分がいやでいやでたまらなくなった。そのとき、私は子どもなりに考えてみたのである。

「学校に行って人前で話すのと、仮病を使って家で寝ているのと、どっちが恥ずかしいだろう」

つまり、人前で恥をかくことと、そうなることから逃げているのは、どちらがカッコ悪いのか。

答えは明らかだった――「これからこんなことは何回もあるだろう。そのたびにこうやっていつも逃げていたら、自分はずっと逃げ続けなければならなくなる。そんなことはできやしない。いつかは逃げられなくなるときが来る」。親に嘘をついている自分も許せなかった。

そう考えると、クラスメイトの前で発表をする恥ずかしさなんて、たいしたことないと思えた。そのとき私は初めて、弱い自分と正面から向き合ったのだ。そうすることで、弱い自分を乗り越えられたのである。

「強い個」の確立とは、弱い自分と向き合うことから始まる。自分の弱さと正面から向き合い、その弱さをとことんまで追及していくと、「弱い自分を見つめているもうひとりの自分」が現れる。すなわち、「新しい自己」を発見するのだ。そのもうひとりの自分は、弱い自分よりほんの少し強く、ほんの少し高いところから自分を見つめている。そんなもうひとりの自分が、不安や恐れを感じている自分を励まし、それを乗り越えようと思わせてくれた。

セルフコントロールとは身体的なコンディションだけでなく、自分の精神をもコントロールすることである。不安や怖さを感じるのは、決して恥ずかしいことではない。むしろ当然だろう。

そのとき、自分の弱さと向き合い、外から自分を見ている「もうひとりの自分」と対話することが大切だ。それを繰り返していくうちに、弱い自分をコントロールできるようになる。それがセルフコントロールだと思う。

たしかに、大きな不安を抱えたり、絶望したりしているときには、自然と視界が狭まり、周囲が見えなくなってしまう。結果として、自分のことをダメな人間だと考えてしまいがちだ。すると、ますます不安になり、いわばマイナスのスパイラルに陥《おちい》ってしまう。

だが、考えてみてほしい。そもそも「こうなりたい」という願望や目指すべき理想を持たない人間が、不安を抱えたり、絶望に陥ったりするものだろうか。自分の願いが現実のものにならないとき、あるいは危機的な状況に陥りそうになったとき、人は不安や絶望を感じるのではないか。逆にいえば、「こうなりたい」という気持ちがなければ、不安も絶望も感じるわけがない。不安や絶望を乗り越えてこそ初めて、「強い自分」と出会えるのではないか。

だいたい、不安や弱さを感じなければ、人間はそうそう努力などできるものではない。少なくとも私はできなかっただろう。「弱い自分」を自覚していたからこそ、私は不安と対峙し、人の倍練習しようと考えた。

私は「これで完璧だ」とか「これで絶対だ」とか思ったことは、これまでに一度もなかった。だからこそ、つねに高みを目指そうとした。それも不安を抱えていたからである。その意味で、不安でいたからよかったとも思う。

人は自分の弱さと葛藤することで強くなる。それを繰り返すことで、新しい自分を発見できる。逆にいえば、不安やコンプレックスに苛まれ、「自分を弱い」と感じたときこそ、「強い自分」に変われるときなのだと思う。

◉「弱さ」から集中力は生まれる

不思議なもので、私は不安があるときのほうがプレーや判断の精度が高まるようだ。不安があるからこそ緊張感が高まって集中するし、判断力も研《と》ぎ澄《す》まされるのだろう。不安が一種のバネになるわけだ。逆に、自信満々のときは安心し切ってしまうのか、かえってそうした力は湧いてこない。スポーツであろうとビジネスであろうと、勝負しているときには、自分の内部の力を高めていくためにも不安は必要なのである。

思うに、不安とは想像力によって生じるものなのではないだろうか。想像力が豊かであるからこそ、ふつうは気にならないことでも不安に思えるし、恐怖も感じるのだ。

これは、リーダーと呼ばれる人間にとっては欠かせない資質だと思う。そういう立場にある人間は、つねに最悪の状況も想定し、その場合の対策を考えておかなければならない。

私はこれまで、ゲームの中で思いがけない出来事が起こったなどということはあまりなかった。それまでに起こりうるかぎりのあらゆる展開をできるだけシミュレーションしていたからである。むろん、よい展開ばかりをイメージしていたわけではない。最悪の状況をも頭の中に思い浮かべる。そして、そういう事態になったらどうすべきなのか、いかにして状況を打破していけばよいのか、逐一イメージを構築していくのである。だからこそ、どのようにストーリーが展開しようとも、あまり慌てることはなかった。不安があったからこそ、ゲームでどんな状況になっても対応できるよう、事前の準備を怠らなかったのだと思う。

新幹線にひとりで乗っているときでも、「これはどうしようかなあ」とか「あのとき、こういう言い方をしておけばよかったな」などと、さまざまなことを考えている。ひとつのことだけを真剣に考えているわけではないし、別にそれで答えが出るわけではない。メモもほとんど取らない。どうやら寝ているときも考えているようだ。もちろん、睡眠はとっているのだが、眠りに落ちる前に考えて出した答えが、朝起きてみるとまったく違うものになっていることもめずらしくない。

このような習慣は、非常に疲れるのも事実だ。いつの頃からかずっと不眠症に悩まされている。夜、ベッドに入ってもいろいろなことを考えてしまい、眠れなくなってしまうのだ。現役時代からそうだった。それでも、理由はわからないが選手の頃は試合の前日だけはよく眠れていた。

ところが、ラグビー日本代表の監督になったとたん、試合前日もまったく眠れなくなってしまった。選手と違い、監督はいわば四六時中ゲームをしているようなものである。前の晩は翌日の試合についてあれこれ考え、終わったら終わったで勝っても負けてもゲームを振り返らなければならない。このサイクルが延々と続くのである。監督という仕事にはどこまでいっても終わりはない。監督時代の私の口癖は「疲れた〜」だったほどだ。

不安で、満たされることがないゆえに、つねに努力するし、より高みを目指そうとする。

不安がなければ、つまりつねに自信満々でいると、知らぬ間に自分やチームを蝕《むしば》んでいるウイルスに対して自覚症状を持たなくなってしまう。自覚症状がないがゆえに予防接種を怠ってしまい、そうなれば自分やチームが破綻《はたん》する可能性も生じてくる。不安を自覚するからこそ、「そうならないためにはどうすればいいか」と懸命に方策を探し、処方箋《しょほうせん》を書こうとするのである。

ただ、念のためにいっておけば、選手や部下に対してはあくまでもポジティブに接しなくてはならない。選手や部下はあくまでもポジティブでなければ最大限のパフォーマンスを発揮することはできない。リーダーが不安でいることを感じさせてしまえば、それが士気に影響してしまうからだ。

◉人と組織は矛盾を潤滑油にして成長する

不安な状態は決して悪いものではない。だからといって、あまりに不安ばかりが肥大しすぎるのは決してよいことではないのも事実である。慎重になりすぎるあまり、迷いが生じて決断力が鈍り、行動に移せなくなってしまうのだ。だから、不安と自信のバランスをうまく保つことが大切になる。

だいたい、不安というものは打ち消そうとしてもそう簡単に打ち消せるものではない。仮にひとつ解消できたとしても、すぐにまた別の不安が襲ってくる。そうであるならば、不安を解消しようとするのではなく、うまく付き合っていく方法を考えたほうが建設的であろう。そして、不安とうまく付き合うことは、誰にでもできる。

人間というものは、不安や自信といった相反するものをつねに自分の中に抱えながら、その葛藤のなかで成長していくものではないだろうか。磁石にN極とS極があるように、個人、そしておそらく組織も、相反するもの、いわば「矛盾」を抱えながら進化していくのだ。ひとつ問題を解決しても、解決したことによって別の問題が持ち上がる。不要だと思えるものをすべてなくしたからといって、必ずしもうまくいくとは限らない。これらはすべて矛盾といっていい。つまり、人間と、人間によって構成される組織は、単純に割り切れるものではないということだ。そうした矛盾を、むしろ潤滑油《じゅんかつゆ》としてうまく利用したほうが、よい成果が得られると思う。

そこで大切になるのは、不安やコンプレックスといった「負」の要素を自覚し、そのまま受け入れたうえで、それを「マイナス」とは考えずに、「プラス」に転化していくことである。それが私のいう、「うまい付き合い方」なのだ。そのために重要なのが、「視点を切り換えること」、別の言い方をすれば「物事の捉え方」である。

◉自分を座標軸として物事を見れば、ネガティブもポジティブに変わる

物事とは、本人の捉え方次第でいくらでも変わってくる。そのことを私は、大学時代に恩師である岡仁詩先生によってあらためて気づかされた。こんなことがあったのだ。

ラグビーのスクラムでもっとも守りにくいのは、自陣ゴール前中央付近五メートルの地点である。相手の攻撃の選択肢がもっとも多いからだ。まして当時の同志社のスクラムは強くなかった。それゆえ、神経質なほどその地点での相手の攻撃を想定して防御策をあら

ゆる角度から検討し、練習していたわけだが、やればやるほど不安が出てくる。どうしても解決できない問題が生じてきた。

「こんなケースはどうすればいいんですか？」

あるとき、私は岡先生に訊《たず》ねた。すると先生は言ったのである。

「そんなもん、ここまで来られたら、しゃーないやんけ」

そして、こう続けた。

「そんな場所でスクラムになった時点であきらめろ。そこまで来られたら、トライは覚悟せい！」

つまり、ゴール前五メートルでスクラムを組まざるをえない状況になる前に「なんとかしろ」というわけだ。

そのうえで岡先生は「もしトライを取られたら、取り返せばいいだけの話だ」とも言った。

岡先生は論理的な思考をすることで知られる人だっただけに、私は驚いた。

だが、考えてみればそのとおりである。「こんなところでスクラムになったらどうしよう」と、あれこれ悩むほうが時間的にも精神的にもロスが大きい。そんな、あるかないかもわからない状況にびくびくするより、そうならない方法を考えるほうがずっと効率的なのだ。

物事は捉え方次第だといったのは、そういう意味である。自分を座標軸にして物事を捉えるのだ。自分に都合よく見れば、ネガティブをポジティブに変えることができる。もちろん、失敗の原因を検証し、反省することはたしかに大切だろう。だが、いくら考えても「過去」を変えることはできない。だが、「未来」は変えられる。それならば、そちらに力を使ったほうがはるかに有益だ。考えてもしかたがないことをいつまでも考えていれば、行動力は鈍くなるし、結果的に生産性が下がるのは必然である。

それでは、その見切りはいかにしてつけるか。結論からいえば、経験しかないと私は思う。「負」の要素を抱え、それと葛藤した経験のある人間は、「これは解決できる」「これは解決できない」という判断がおのずと身についているはずである。「できないことはしかたがない」と、いい意味で腹をくくることができる。そうすれば、努力次第で解決できることと、もしくは改善できることに自分の力を集中させることができる。いわば、自分の持てる力を効率よく使うことができるわけだ。だから、力を集中したぶん、必然的にいい結果が生まれるのだ。

その意味では、ときには「開き直る」ことも大切だろう。どうにもならない状況に対して、なんとかしようともがき苦しむのはいい。徹底的に苦しんだほうが、むしろプラスになる。だが、どうしても状況が好転しないときには、どこかで「まあ、いいか」と思考を断ち切ってしまったほうが、違った視点や発想が生まれる可能性は高いだろう。それに、人間は、開き直ったときにはふだん出せないような力を発揮することもある。それが結果としてもう一段、階上の領域への視界を開くことになるのである。

状況によっては問題を「先送り」してもかまわないとも思う。どうしても突破口が見つからないときは、あるいは緊急に解決を迫られていない問題なら、少し時間を経たあと、違う状況で考えてみる。それは逃げたことにはならない。近い将来の自分は、先送りするときの自分とは物の見方や思考方法が変化しているかもしれない。それならば、もう少し先の自分に考えさせてみてはどうかというわけだ。

事実、私自身、大学を卒業するときにどうしても社会人としてラグビーをする気持ちになれず、いわば答えを先延ばしするかたちでイギリスに留学したが、結果としてそのことがラグビーを続ける大きなきっかけとなった。イギリスのクラブでプレーしたことで、あらためてラグビーの楽しさに気づいたのである。

前述したように、「フットボール型」の社会では、攻守は頻繁に入れ替わる。事態はどんどん変化していくのである。その中で流れを的確につかみ、最終的に最良の結果を残すためには、ひとつの考えに凝り固まるのではなく、柔軟な発想と思考を持って事にあたったほうが適切な判断を下せると思うのである。

◉弱さを克服するには強みを伸ばせ

マイナスをプラスにうまく転化するには、自分自身の「強み」と「弱み」を自覚することも大切だ。

人には、得意なことと不得意なことがある。それが「強み」と「弱み」である。これまでの日本人は、なんとかして弱みを克服しようとする傾向が強かったように思う。ラグビーでいえば、足は速いのだがタックルが下手な選手がいると、まずタックルの練習をさせるというふうに……。

しかし、これが私には疑問なのである。足が速いのなら、そちらを活かしたほうがいいのではないかと思うのだ。私自身、ラグビー選手としては身体が細かった。華奢《きゃしゃ》だったといってもいいだろう。それは私の「弱み」であったといえるが、ゲームメイクと状況判断には自信があった。それを具現化するためのパスやステップの技術も人には負けていなかったと思う。一瞬のスピードも水準以上だったと自負している。だから、そうした自分の強みを積極的に伸ばした。

もちろん、自分の弱点を自覚し、それを克服しようと努力することは大切だ。弱みを克服するというのは、いわばマイナスをゼロにすることである。だから大変な労力と困難が伴うわりには、実りは少ない。もともと苦手なことをやろうとするのだから、精神的につらいし、時間もかかる。下手をすればますます自信を失いかねない。それならば、自分の強みを活かす方法を探したほうがいいのではないか。

現役時代の私は、ラグビーの選手であると同時に、(今もそうだが)神戸製鋼という企業に籍を置くサラリーマンでもあった。当時は例外なくプロ契約が認められていなかったから、ほかの社員と同じように仕事をこなさなければならなかった。企業のクラブで競技スポーツを続けている人間は、引退が近づくにつれ、仕事の面で同期の人間に遅れをとっているのではないかという不安を抱くものらしい。引退と同時に退職せざるをえなくなる者も少なくないのが現実だ。

私は試合や練習でほかの社員に迷惑をかけたことがまったくなかったとはいえないが、

だからといってそれを重荷に感じたり、同期に仕事で遅れをとっているのではと焦ったりしたこともなかった。

というのは、ほかの人にはできなくて、私にできることが意外に多いことに気づいたからである。言い換えれば、「自分の代わりになれる人間はいない」と思えたのである。

現代のサラリーマンがリストラに怯《おび》えるのは、「自分の代わりはいくらでもいる」と思っているからではないだろうか。長い休みがなかなか取りにくいのも、帰ってきたときに自分のポジションにほかの人間が就いてしまうのが怖いからといった理由が大きいのだと思う。

だが、「自分の代わりはいない、この組織に必要不可欠な人間なのだ」と思えれば、そんなことを気にする必要はない。

◉得意なことを伸ばすためなら多少の困難は乗り越えられる

それでは、組織に必要不可欠な人間になるには、どのような存在になればいいのか。それは組織の「内部」ではなく、「外部」で大きな力を発揮できる人間であれ、ということになる。

極言すれば、組織の中でいくら大きな力を持っていても、代えはきく。けれども、組織の外に影響力を持っている人間のポジションは、ほかの人間がとって代わるわけにはいかない。

大切なのは自分の強みをいかに伸ばし、活かすかということなのだ。それが「代えのきかない」存在になる近道である。

ラグビー日本代表監督になってすぐのことだが、私は母校・同志社大学の大学院に通った。研究テーマは、ひと言でいえば「スポーツの社会的価値とは何か」というものだった。その価値を明らかにすることにより、自分の過去と未来をつなぐ線を求めたいと思ったのである。研究をしていく中で、それまで漠然と考えていたことをあらためて理論的かつ体系的に捉え直すことができた。

そのことは、外部とのより広いネットワークを築くことにもつながった。そうしたことが社内外のさまざまなプロジェクトへの貢献につながったし、今、私が理事長を務めている、スポーツの持つ無限の可能性を通じてコミュニティの健全な発展に寄与・貢献することを目的とする『ＳＣＩＸ（Sports Community&Intelligence Complex）』というＮＰＯ法人の運営にも大きく役立っていると思う。

もちろん、会社員として私のできないこと、不得意なことはたくさんあった。逆に私の苦手なことが得意な人もいる。それならば、自分の不得手な部分はそれができる人に補ってもらって、自分にしかできないことをしよう――私はそう考えていた。自分の弱点を克服しようとするのではなく、強みを活かそうと考えたのである。得意なことを伸ばそうとするならば、多少困難にぶち当たったとしても、乗り越えるのはそれほど難しくない。これも、「マイナス」を「プラス」に転化するひとつの方法だと思う。

これまでいわゆるホワイトカラーが行っていた事務的な業務は、すでにほとんどがコンピュータでこなせるという。この流れはさらに強まるに違いない。言い換えれば、多くのホワイトカラーが必要とされなくなってしまうわけだ。同時にそれは、組織に頼らず、個として存在できるかが問われるということでもある。

そのときカギになるのは、「自分にしかできない」という強みを持っているかどうかということだろう。それが、チーム内のプレーヤーとして生き残れるかどうかの分岐点になると思う。

その意味でも、自分の弱みだけでなく、強みとは何かをしっかり認識し、それを伸ばし、活かしていくことが大切になるのではないだろうか。

◉「勝ちたい」と「負けてはいけない」

現役時代の私は、どんな試合であっても「勝ちたい」と思っていた。どうすれば勝つことができるのか、そのための方法を懸命に探っていた。

ただ、たしかに「勝ちたい」とは強く思ったが、「負けてはいけない」とは絶対に考えなかった。そして、「勝ちたい」と思い続けたからこそ、現実に勝ち続けることができたのだと信じている。

「勝ちたい」と「負けてはいけない」――このふたつは似ているようだが、まったく違う。「勝ちたい」が本人の内側から湧き起こってくる気持ち、すなわち「内発的モチベーション」であるのに対して、「負けてはいけない」は、負けてしまうと自分を取り巻く状況が変わってしまうことに対する恐れから生じる思い、言い換えれば「外圧的モチベーション」に起因する。そして、その差は自然とプレーの選択に現れる。

「負けてはいけない」と思うとどうなるか。おのずと消極的なプレーを選択してしまう。どうしても手堅くいこうと考えてしまうのだ。

ところが、そうなると相手にプレーを読まれやすくなってしまう。選択肢が狭まってしまうからだ。もちろん、状況によっては手堅い選択をしなければならないケースもある。ただ、自らの意志であえてそうするのと、いわば消去法的にそうなってしまうのでは、大きな差がある。

これに対して「勝ちたい」と思えば、どんな状況であっても突破口を見出そうとする。なんとかして勝つ方法はないかと懸命に探る。それがゲームのおもしろさでもあるのだが、そうしていけば選択肢は自然に広がっていくケースが多かった。

ゲームとは、いかに相手の選択肢を少なくさせるかのせめぎ合いである。相手の選択肢が減れば減るほど、こちらは相手の出方を読みやすくなる。包囲網を形成しやすくなるわけだ。こちらが「負けてはいけない」と思ってしまうと手堅くいこうと考えるから、選択肢が減って相手は戦いやすくなる。逆に、「勝ちたい」と思えば、選択肢が増えるぶんだけ、相手は守りにくくなるわけだ。理屈から考えても当然の帰結である。

並のプレーヤーは、選択肢が限られているから、その中のひとつを「これでいいだろう」と状況に当てはめてしまう。これに対して、優れたプレーヤーはたくさんの選択肢の中から状況に応じて瞬時に最適のプレーを選択できる。

どちらのやり方で選択するかによって、もたらす結果は当然大きく変わってくる。いかに多くの選択肢を持ち、かつその中からどれだけ適切な選択ができるかどうかが、よいプレーヤーと並のプレーヤーを分けるカギだと私は思っている。そして、それを分けるのは、本人が「勝ちたい」と思っているのか、それとも「負けてはいけない」と感じているのかだと思う。

二〇〇六年のサッカーワールドカップ・ドイツ大会における日本の選手を見ていると、「勝ちたい」という意欲より、「負けてはいけない」という気持ちのほうが強かったように私には見えた。「負けてはいけない」という思いが膨らめば膨らむほど、「勝ちたい」という意欲は低下してしまう。これでは選択肢が狭まり、「創造性」を発揮しえなくなるのは当然である。

◉プレッシャーは自分の問題だからこそ克服できる

それに「負けてはいけない」と思うと、どうしても硬くなり、ミスが起きやすくなる。「負けられない」という意識がプレッシャーになってしまう。そのために、自分の力を出し切れなくなってしまうのである。

私はプレッシャーに負けるのがいちばん悔しかった。全力を出し切って負けたのなら、それはしかたがない。もちろん悔しいし、残念だとは思うけれども、力が足りなかったから負けただけの話である。「持久力が不足していた」とか「スクラムが弱かった」とか、敗因を明確に自覚できる。そして、「もう一度鍛え直そう」と、前向きになることができるのだ。そういう負けは、次につながる。

しかし、目に見えないプレッシャーに負けてしまい、持てる力を出し切れずに負けるというのは、悔やんでも悔やみ切れない。こちらの実力がなくて負けたわけではない。互角以上の力を持っていながらみすみす自分で勝利を逃してしまったのだ。精神的な問題が大きいので、改善策もすぐには見つからない。だから、プレッシャーに負けるという結果だけは避けたかった。

ラグビーブームの真っ只中に現役生活を送った私は、国立競技場を埋めた満員の観客の前で試合をしたことが何度もある。同志社大学、神戸製鋼と私はずっと関西のチームにいたから、状況はいわばアウェイである。とくに早稲田や慶応、明治といった人気チームと対戦しなければならなかった大学時代は、スタンドのほとんどが相手チームを応援していたといっても過言ではない。

あとで共に戦ったメンバーに聞いたところでは、相手の攻撃中に大歓声がウォーッとあがると、あたかも数万人で攻められているような気がしたらしい。しかし、私はそんなことを意識したことはなかった。

とはいえ、じつは私も高校一、二年生くらいまではプレッシャーを感じて自分の思うようなプレーができなかったことが多かった。

「このプレッシャーはどこから来ているのだろう」とつねに考えていた。

すると、何のことはない、「自分でつくっていた」事実に気がついたのである。そのときから、私はプレッシャーなんて自分次第でどうにでもコントロールできると思えるようになった。

たとえ国立競技場の六万人の観客すべてが相手を応援していようと、実際に戦う相手は一五人である。観客が力を貸すわけではない。相手はたしかに元気づくかもしれないが、現実の力は変わらない。パワーが増すわけでもスピードが上がるわけでもない。観客の応援をプレッシャーと感じるのはこちらの問題なのだ。こちらが勝手にそういう状況に自分をもっていってしまっているだけなのである。

プロゴルファー・宮里藍さんのお父さんは「静筋」という言葉をよく使うそうだ。つねに冷静で、たとえ失敗してもくよくよせず、気持ちを切り換えられる、そういう「静かな筋肉」とも呼ぶべきものが一流選手には必要だというのだ。

私流にいうならば、それは「勝ちたい」と思う集中力にほかならない。私の場合は「勝ちたい」と思ってゲームに集中しているからこそ、観衆がどれだけ騒ごうが気にならなかったのだと思う。

ただし、そうなるためにはやはり経験が必要だ。かつての私がプレッシャーに負けて何度失敗してもそれを乗り越えたように、不安と自信の中で葛藤する経験が大切なのだ。たとえ失敗したとしても、その挫折感が経験知となって次につながるからだ。

そうやって経験を積んでいくと、「不安」や「プレッシャー」というものは、自分自身が勝手につくり上げてしまっている「虚像」にすぎないことに気がつく。そこに気づけば、あとは自分の物事に対する見方を変えればいいだけの話である。他人の気持ちや状況そのものを変えるのはきわめて困難だが、自分の思考を変えるのはそれほど難しいことではない。「負」を「正」に転化する答えは、自分自身の中にあるといってもいい。

◉恥をかいてもよいと思ってこそ、恥の意識から脱却できる

それでは、「負けてはいけない」という気持ちを、「勝ちたい」という気持ちに変えるた

めにはどうすればいいのだろうか。大切なのは、「ミス（失敗）したら恥だという意識」を捨て去ることである。もっといえば、そうしなければ日本人が個として確立することはそもそも不可能なのではないかと思っている。

サッカーワールドカップ・ドイツ大会における日本代表の戦いぶりで、あらためて指摘されたのが「決定力のなさ」だった。というより、シュートを打てる場面でも、日本の選手はなかなか打とうとしなかった。

ドイツ大会は全体的に積極的なミドルシュートが目立っただけに、日本の消極さがいっそう際立つことになったと思う。

日本の消極性はシュートの場面だけに限らなかった。パスをするにしても、日本の選手は相手に絶対にインターセプトされない距離感を保っていたように見えた。シュートの場面は誰にもわかるから、たまたまフォワード陣の消極性が目立ったにすぎない。

つまり、総体的に日本の選手は冒険をしない。挑戦的ではないのだ。もっといえば、ミスをしないことにばかり目がいっているように思えた。これではイマジネーションにあふれたプレーは生じえない。ローリスクからはハイリターンは得られない。

ブラジルのような強豪ならそれでもいいかもしれない。だが、体力的にも技術的にもハンディを背負っている日本は、ある程度のリスクを冒さなければ、勝利をつかむのは難しいのが現実である。

日本の選手がシュートに消極的な原因を、ジーコは「ミスを恐れる国民性」に求めたそうだ。それがわかっていたならば、そのための対策を考えるべきだったのではないかと言いたいが、ジーコの言うことには一理あると私も思う。想像するに、日本の選手はこれまで失敗したときに極度に怒られてきたのではないだろうか。ミスをしないことをつねに求められ、失敗は恥だと言われ続けてきたのではないか。それが一種のトラウマになっているのだと思う。

それゆえ日本人は、「勝ちたい」という意欲より、「失敗したら恥だ」という意識がどうしても先に立つ。それが大舞台で日本がなかなか結果を出せない最大の理由ではないかと思っている。勝負には、ときにはギャンブルも必要だ。にもかかわらず、そんな場面でも極力失敗しないような無難なプレーを選択し、挑戦的ではなくなってしまうのだから、ここぞというときに勝負弱いのも当たり前である。

「失敗したら恥だ」と思えばなおさらプレッシャーを感じてしまうし、試合の日が来るのが怖くなってしまう。しかし、「勝ちたい」と思えばおのずと意識が集中してプレッシャーも感じないし、ゲームをするのが待ち遠しくなる。そして、試合に勝つためには、そういう状態にならなければいけない。

だから、私は「恥ずかしくないゲームをしろ」とは絶対に言わなかったし、今でも言わない。正確には一度だけ言ったことがあったのだが、ものすごく後悔した。以来、その言葉は私の中で封印された。自分の身の丈で勝負すればいいのである。

いずれにせよ、そうした「恥」の意識を捨て去ることができない選手やチームが、世界という舞台で結果を出すことはできないと思う。なぜなら、恥という意識はあくまでも外に対するものだからだ。自分自身には向かわない。だから、日本人は負けた原因を内面の問題として捉えることが不得手である。自分に対して厳しい判断ができない。外部に求めてしまう。だが、それでは本当の実力はつかない。そして、それはスポーツだけに限らないことはいうまでもないだろう。

◉失敗を経験してこそ強くなれる

それでは、どうすれば「恥の意識」から脱却できるのか。それはやはり、「たとえ失敗したって恥ずかしくない」と思えるかどうかにかかっているだろう。

失敗をすること、ミスをすること自体は、決して「恥ずかしいこと」ではない。それどころか、そうした経験を積むことはむしろ人間の成長において非常に大切なことだ。失敗の中から学ぶものは、想像以上に多い。どこが悪かったのか、何が足りなかったのか。こうすべきだったのではないか。そうやって失敗の原因を自分なりに分析・反省し、じゃあ次はこうしようと改善していくことが、次の成功につながる。

大切なのは、失敗を「恥」だと思わず、それを「次への糧《かて》」だと考えられるかどうかなのだ。そうやって「失敗」という「負」を「正」に転化することができれば、失敗はその人間にとって大きな肥やしとなるだろう。

そもそも、日本人に内発的モチベーションが欠如している理由には、こうした失敗の経験が乏しいことも影響しているのではないか。その背景には、今述べたように、どうも日本人には「失敗は悪である」「恥ずべきことである」という「恥の文化」が根づいていることが大きいと想像するが、もうひとつ、子どもの頃から自分で判断し、決定する機会をあまりに与えられてこなかった現実もあると思う。自分で判断し、決定しなくてもすんできただけでなく、親や学校がそうしたチャンスを奪ってしまっている。たとえば校庭や公園で遊んでいてケガをした。すると、すぐに学校が悪い、行政の管理が悪いということになってしまう。そうなれば、学校も行政も事故が起きないように、何から何まで禁止する。そうやって子ども自身が判断し、行動する機会をどんどん奪ってしまうのだ。

もちろん、最低限のコントロールは必要だろう。だが、こういう遊びをしたら危険だということは、本来は自分自身で判断すべきなのである。自分で危険だと思ったら、思いとどまる。それでもあえて危険を冒そうとするのなら、それに伴う結果の責任は自分が負う。たとえ子どもであろうと、それがルールだと私は思う。そうしないと、いつまでも起こった結果の責任を他人に転嫁するようになってしまう。そうした現実が、結果として日本人の行動にダイナミズムが欠け、行動そのものが小さくなってしまう原因になっていると私には思えてならないのである。

本来、こうしたことは家庭や学校教育の場で行われてしかるべきなのだが、いずれにせよ、日常生活の中で自分で判断し行動する習慣をつけなければ、厳しい決断を下すことができるようにはならないと思う。

これまで繰り返し述べてきたように、失敗や挫折を経験することで、自分の弱さや情けなさと正面から向き合うことが、人間が生きていくうえでは非常に大切であると私は考えている。より高みを目指そうとすれば、当然、失敗したり挫折したりすることもあるだろう。それでも、その中で人は達成感と満足感を得たいからこそがんばろうと思うし、創意工夫もする。それがその人間の成長を促すことになると思うのだ。

◉思考や視点を切り換えて活路を見出す

人からやらされるのではなく、自分で自分を律し、目標を達成するのは、想像以上につらいものだ。困難や苦しさが伴うし、ときには高い壁にぶち当たることもあるだろう。人間は弱いものだから、どうしてもそこから逃げようとする。

しかし、困難を自分の力で乗り越えなければ、「強い個」の確立など望むべくもないのはいうまでもない。

卓越したスポーツ選手であれ、有能なビジネスマンであれ、スランプに陥ったり、壁にぶつかったりした経験を持たない人間はいない。誰もが落ち込むだけ落ち込んで、これ以上は落ちないというところまでいった経験を持っているはずだ。いかにして彼らがそこから脱したかは人それぞれだろうが、私の知る限り、ひとつ共通していることがある。それは、「視点を切り換えることで活路を見出す」ということである。

高校時代の私の恩師である山口良治先生は、かつて私にこんな話をされたことがある。

大学時代、ラグビー部の合宿で先生は徹底的に走らされた。もうこれ以上走れないと思って倒れようと思ったときに、ふと周囲を見回したそうだ。すると、ほかの部員もみんなつらそうな顔をしているのに気がついた。

「苦しいのは自分だけじゃない」

そう思ったら力が湧いてきて、それをきっかけに急成長し、ついに日本代表にまで上りつめることができたのだという。

私自身も、高校一年生のときに一度ラグビーをやめようと思ったことがある。中学時代はラグビーをするのが楽しくてしかたがなかったのに、高校に入ったら、あまりに練習がきつくて嫌になってしまったのである。それで練習を休んで家でテレビを観ていた。

最初はこのうえなくいい気分だった。二日ほど休んだと思う。けれども、ふと、そんなことをしている自分の姿が頭の中に浮かんだ。おれはどこまで堕落するのかと不安に思い、ハッとした。

「こんなことをしていてはダメだ。明日からは練習に出よう」

次の瞬間、私はそう決心した。すると、不思議なことに次の日からは同じ練習をしても、少しもつらいと感じなくなったのである。

現実や状況が変わったわけではない。山口先生と同じように、自分の気持ちと態度を「切り換えた」のである。今振り返れば、この出来事は私にとって大きなターニングポイントになった。

壁にぶち当たって苦しんだり悩んだりしたとき、そこから逃げることなくやる気をかきたてるためには、山口先生や私がしたように、置かれた状況を冷静に見つめ、悲観的にならずにポジティブに物事を捉えて「思考や目線を切り換える」ことが重要なカギになると思う。そうすることで、次なる新たな方向性を見出すことができるのである。

この「思考や目線を切り換える」という行為は、その人間が殻を破り、ひと皮むけるための、「強い個」を獲得するための大きなきっかけになると考えている。「深刻」だったのを「真剣」に変える、あるいは「悲観」するのではなく「必死」になる。これらは似ているようで、明らかに違う。そんなちょっとした「切り換え」で、それまで見ていた景色がまったく違って見えるようになるのである。「外圧」を「内発」に転化することも可能なのだ。

だからこそ、子どもたちには自分でもがき苦しみ、自力でそれを乗り越えるような経験ができる環境をできるだけ用意してやることが必要だし、自分自身の置かれた状況が変わり、新しい環境や立場に身を置いたときには、自ら困難に向かってチャレンジし、積極的に泥にまみれることが大切だと私は思う。そうしてこそ初めて、人は「強い個」として確立できる。換言すれば、「強い個」とは、積極的にチャレンジし、失敗を繰り返すことで肉厚となった頑強な精神に宿るものである。

第二章

部下の弱さを克服させ、強さを生み出すリーダー力

◉「内発的モチベーション」と「外圧的モチベーション」

前章では、いかにして自分自身の「負」を克服し、「強い個」を獲得するかということについて私自身の経験もふまえて述べてみた。本章では、それをリーダーの立場から考えることにしよう。すなわち、リーダーはいかにして組織やチームのメンバーを「強い個」として確立させていけばよいのかという問題である。

スポーツに限らず、最近はさまざまな分野でモチベーションという言葉が使われるようになっている。私自身も本書でこれまで何度も使ってきた。その意味をここでもう一度整理しておきたい。

モチベーションとは、あえて日本語にすれば「動機づけ」という意味になる。すなわち、行動を起こすための源泉となる意欲のことである。「やる気」と言い換えてもいいだろう。

ただし、このモチベーションには二種類あると以前から主張してきた。ひとつは「内発的モチベーション」。もうひとつは「外圧的モチベーション」である。前者は、本人の内側から自発的に湧き起こってくる意欲。後者は、外部から「やらなければならない状況」

に追い込まれることによって生じる意欲のことである。

ところが、日本でモチベーションという言葉が使われるときには、このふたつを一緒にしているような気がしてならない。このふたつは明確に違うのである。前者があくまでも本人の意志にもとづくものであるのに対し、後者はなかば義務感から生じるものだからだ。

そして、これまでの日本人は後者、すなわち外圧的モチベーションによって動いてきたように思う。つまり、失敗したら怒られるとか、恥をかかされる、罰を与えられるからという理由で、無理やりやる気を起こさせていたのである。言い方を換えれば、義務感という「負のインセンティブ」によって動かされていたわけだ。「外圧」をかけられることで、われわれはようやく行動に移すことができたのである。日本人の行動原理は、そこにあった。だから「強い個」が確立されることがなかったのではないかと推測される。

しかし、かつてはそれでもよかった。戦後、日本が製造業に活路を見出し、欧米の先進国に追いつき追い越せでやっていた頃は、「負のインセンティブ」がそれなりに効いたのだ。一定の品質の製品を、確実に、大量に生産するには、それなりに機能したのであろう。

しかし、状況は変わった。「負のインセンティブ」によって行動した結果、日本は先進国の仲間入りをし、とても豊かになった。その一方で、かつて日本が果たしていた役割は、中国を初めとするほかのアジア諸国がとって代わるようになった。しかも、社会は複雑かつ高度化し、「フットボール型」に移行しつつある。

そんな状況下で、これからの日本人に求められるのは何か。それは、ひと言でいえば「創造性」にほかならないと私は思う。よりオリジナリティの高い、独創的な商品を提供することで、われわれは差異を生み出していかなければならないのである。

そして、それにはそれぞれの人間が「個として確立し、成熟している」ことが前提となる。これまでのように、言われたことだけをやっていればいいというのでは「創造性」は生まれえないからである。すなわち、自分で考え、判断し、行動できなければ、ますますグローバル化が進む社会の中で生き残っていくのは難しいと思うのだ。その源泉となるのが、私のいう「内発的モチベーション」なのである。

ところが、「負のインセンティブ」に支えられ、それを行動原理としてきた日本人は、諸外国人に較べ、この内発的モチベーションが欠如している。これまで個人としてどうあるべきかということよりも、組織としてどうあるべきかを重視してきたがゆえに、自ら考え、判断し、行動するという習慣が根づかなかったからである。組織が重んじられれば重んじられるほど、個人の裁量は制限されるのだ。

したがって、いかにして組織やチームを構成する人間の内発的モチベーションを喚起させ、その力をチーム力につなげるか――それが、これからのリーダーという立場にある人間に課せられた最大の課題である。

◉成功体験が内発的モチベーションを誘発する

今考えれば、私が内発的モチベーションの重要性――もちろん当時はそんなことは意識しなかったが――に気づいたのは、高校時代に練習がつらくてラグビーをやめようと思ったときだった。先ほども述べたように、そのとき私は、苦しいことから逃げようとしている自分の弱さに気づき、それを自覚したとたん、練習が少しもつらいと感じなくなった。結果、やめずにすんだのだが、今思えば、これが内発的モチベーションというものを私が無意識の中にも感じた最初の出来事だったと思う。

「いやいややっている状態」、つまり外圧を受けて「やらされている状態」というのは、いわば「他人から指示を受けている状態」である。だが、「こんなことをしていてはダメ

れ

だ」と思い直したことで、「他人からの指示」が私の中で「自分からの指示」に変換されたのだ。やる気、すなわち内発的モチベーションが湧いてきたのである。

そうなると、たとえ、厳しい練習を「やらされた」としても、その意味を見出し、「これをやって得するのは自分なのだ」と置き換えられ、自ら能動的に取り組もうと思えるようになる。「明日からがんばろう」と決心したとき、私の中でそういうメカニズムが働いたのだと思う。

そして、そうすることで現実にある程度力がついてくれば、人は達成感や満足感を得られる。それがさらに主体性を引き出し、「もっとやろう」とさらに向上心が芽生えてくるのである。

これは科学的にも証明されていることらしい。脳科学者の茂木健一郎氏が、ある新聞で概略、次のようなことを語っていた。

人間という生き物は、何かを「できた」と実感すると、脳からドーパミンという物質が出る。これが非常に心地いいので、この快感をもう一度味わいたいと思い、次には多少の困難や苦しさが伴ったとしても、なんとかやり遂げようとするのだという。人間の創造性とは、そうした体験と意欲が掛け算となって、相乗的に伸びていくものなのだそうだ。

したがって、仕事や学習に対して意欲が低い人間は、どんなに小さなことでもかまわないから、まずは「成功体験」のきっかけをつかむことが大切であると茂木氏は話していた。そうすれば、必ず循環が起きるのだ、と……。

人はとうてい実現不可能だと思える目標に対しては、そうそう努力できるものではない――私はそう思っている。もちろん、最終的な目標は高く置くべきなのだが、いきなり絶対に無理だと思われることを目標にしても、内発的モチベーションをかきたてることは難しいのが現実だ。逆にいえば、「もう少しがんばったら、達成できる」という感触があるからこそ、「やってやろうじゃないか」と思えるのである。

そして、目標をクリアすることによって、達成感や満足感、感動を得られる。それが自信となり、次なる目標達成への意欲となる。そして、そこで得た達成感と満足感、感動がまた新たな自信と達成欲に転換され……という正の連鎖をどんどん呼んでいき、同時にその人間の成長を促していくのである。そうしたことが積み重なって最終的な目標にたどり着くことができるのだ。茂木氏は、以前から私が考えていたことをいわば科学的にうまく説明してくれたわけだ。

私は伏見工高三年生のときに全国大会で優勝したのだが、今思うと、チームの中にこの循環がうまく生じていたという気がする。一年生のときは、実力的にも日本一なんて目標を掲げても実現は不可能だった。誰もが日本一になれるとはとうてい思えなかったはずだ。当時の伏見は、ドラマ『スクール☆ウォーズ』でご存じだと思うが、学校自体がまだ荒れていて、山口良治先生が赴任されて以来、ラグビー部は少しずつ強くなっていった時期ではあったが、あくまでも京都府内の強豪の仲間入りをしたにすぎないというレベルであった。したがって、京都府大会で優勝して、全国大会に出場するというのが「ちょっとがんばれば届く」目標だったのである。だからそれを目標にした。結果、二年のときに実際に出場し、ベスト8まで進出した。となれば、三年生になったらもはや目標は日本一しかない。「現状では無理かもしれないが、懸命にがんばればたどり着ける」状態にまできていたのである。全員がそう思った。だから努力できたし、苦しい練習にも耐えられた。もう少しだけがんばれば、大きな達成感と感動を味わえると感じたからだ。

◉コーチングの要諦は「やる気にさせる」こと

したがって、リーダーがまずなすべきことは、メンバーに内発的モチベーションを起こさせ、自らより高い目標に向かえるような環境を用意し、「強い個」を獲得できるよう適切に導いてやることにほかならない。そのためにはどうすればよいのだろうか。

最近はスポーツだけでなく、ビジネスにおいても「コーチング」という言葉がよく話題になる。ひと昔前なら、コーチングという言葉から連想されるのは「技術を教える」ことだった。ラグビーの場合なら、パスやキック、タックルといった、プレーに必要な「技術」を、それぞれの段階に応じて教え込むことがコーチングと呼ばれていたわけだ。

もちろん、それもコーチングの大きな要素である。とはいえ、それはあくまでも「ひとつの」要素であって、すべてではない。というより、誤解を恐れずにいえば、そうした技術指導は誰が行っても結局はそう大差ないと思っている。なぜなら、技術を教えるための知識や情報は、今のような情報化時代では入手しようと思えば、誰もが、どんなものでも得られるからだ。たんなる「技術」を習得するだけなら、手段はいくらでもある。

それでは、コーチングの「本質」とは何か。それは「モチベーション」にあると私は考えている。つまり、その選手なり部下なりを、どれだけ前向きにプレーや仕事に取り組ませることができるか。そのための意欲をいかにつけさせるかということである。換言すれば、コーチングを受ける側の人間が、「もっとうまくなりたい」とか「チームの役に立ちたい」という気持ちを持てるように仕向けることこそが、もっとも大切なことだと思う。

本人がそうした気持ちを持つことができたら、極端にいえば、何も教えなくても自分から行動を起こすはずだ。

だからこそ、「やる気をつけさせる」こと、すなわち内発的モチベーションを喚起させることがコーチングにおいては何よりも大事なことだと思う。もっといえば、目の前にある困難に向かっていくための「勇気」を与え、どんなことがあってもやり抜く「覚悟」を決めさせることができるかどうか。そこに「強い個」を確立させるためのコーチングの本質がある。

◉低下した反発係数

最近、企業の管理職の方々と話をしていると、必ずといっていいほどこういう声を聞く。

「最近の若い奴は、ヤワになった」

ちょっと叱ったり注意したりすると、すぐにシュンとしてしまう。反抗もしない。こちらはたんにハッパをかけようとしただけなのに、かえって逆効果になってしまうというのである。そのことで、対処の仕方がわからず、悩んでいる管理職の人も少なくないらしい。

たしかに私とほぼ同世代、少なくとも三十代後半くらいまでの人間は、たとえこっぴどく怒られたとしても、それで意気消沈してしまうことはそれほどなかったと思う。もちろん、その瞬間はすごく落ち込むのだけれど、むしろ叱られることで「なにくそ！」という反発心や闘争心が湧いてきたものだ。「やってやろうじゃないか、見返してやるぞ！」と、怒られたことをモチベーションに転化したからだ。だから指導する側も、叱ることで成長させる、いわゆる「怒りのコーチング」というやり方が主流だったし、現実にそれでもある程度は機能したのである。

こうした、叱られたことで「くそっ」と反発する力を、私は「反発係数」と呼んでいるのだが、今の若い人は私くらいまでの世代に較べると、この反発係数が総体的に弱まっているようだ。なにしろ子どもの頃から叱られたり、怒られたりした経験を持っていないから、ちょっとでも叱られると、やる気を失ってしまう。また反発係数の源になるハングリー精神は、この豊かな社会では醸成しにくくなっているのもその背景にある。

もうひとつつけ加えれば、組織力を構成する源のひとつである「連鎖反応」も鈍くなっているように思う。私のいう「連鎖反応」とは、たとえば試合に負けると、その悔しさが全員に伝播《でんぱ》し、それがチームのダイナミズムとなって翌日からさらなる練習を積み重ねていくような力のことである。組織としてのモチベーションを上げていくための潤滑油といってもいいかもしれない。

一例をあげれば、これは私が伏見工高に入学する前、山口先生が赴任されて間もない頃の話であるが、伏見のラグビー部が強豪の花園高校に大敗した。山口先生が何度も試合途中で席を立とうとしたほどの無残な内容だったという。試合後、山口先生は選手を集めて語りかけた。

「おまえたち、悔しくないのか?」

すると、当時キャプテンだった小畑道広さんがグラウンドを叩き、泣きながら「悔しいー!」と絶叫した。それから雪崩を打ったようにメンバー全員が口々に「悔しい!」と叫んだそうだ。「あの小畑の声が伏見ラグビー部の産声だった」とのちに山口先生は私に語ったが、そのときからチーム全員の意識が明らかに変わったという。「打倒花園」を合言葉に、自ら苦しい練習に取り組むようになった。そして、一年後には「〇対一一二」で負けた相手に勝ってしまうのである。小畑さんの言葉が連鎖反応を引き起こし、チーム全体のモチベーションを高めたのだ。

話を戻そう。その理由はひとまずおくとして、若い人の「反発係数」が著しく低下しているのはまぎれもない事実であると思う。けれども、だからといって、そのことを嘆いているだけでは事態は好転しない。そもそも高度成長期を経たあとの豊かな時代に育ってきた今の若い人間に、昔のような反発係数の強さを求めても難しいのではないかという気がする。いい悪いの問題ではなく、それが現実なのである。それに、ひ弱になっているのは確かだが、彼らは彼らなりの長所を持っている。とすれば、むしろ必要なのは、そうした人間の気質の変化を社会の進化のプロセスと捉え、うまく戦力化していくことではないだろうか。

◉楽観的コーチングのすすめ

思うに、反発係数の低下は、自信喪失と関係しているのではないか。昨今は「ニート」という存在が社会問題化しているが、彼らだって決して働く意欲がないわけではないと思う。むしろ多くは「なんとかしたい」と感じているに違いない。おそらく、彼らは自信がないのである。だから一歩を踏み出せないでいるのだろう。

「おれは劣っている」「ダメだ」と思っている人間に対して、たとえ発奮を促すためであっても「何をやっているんだ！」と叱ったり、「ダメな奴だ」と否定してしまえば、状況を悪化させるだけだ。少なくとも「やってやろう」という気にはならない。

だから、まずは彼らの自信を回復させるきっかけを与えることが大切になる。これは二ートだけに限らない。やる気を起こさせるには、マイナスに落ち込んだ自信をゼロの状態に戻してやることが必要なのである。「自分はそんなにダメじゃない」と認識を改めさせなければ、前向きになれるわけはないのだ。

そこで私が提案したいのが「楽観的コーチング」である。ひと言でいえば、よいところ、すなわち長所を伸ばしてやるという考え方だ。

これまでの日本のコーチングは、私にいわせれば「悲観的コーチング」だった。まずは短所を埋めることから始めるというやり方である。ラグビーでいえば、タックルができないなら徹底的にそこを練習させる。できないことをできるようにしてから全体を伸ばしていこうとするわけだ。まずは、すべてに七〇点を取れるようにするという考え方である。場合によっては、できないという現実をほかの人間の面前でさらけ出し、恥をかかせるというようなこともあった。

先ほどもいったが、たしかにかつてはそれで効果があった。指導される側の反発係数が高かったからだ。くぼんだところを押して刺激を与えてやれば、跳ね返すだけの力があったのである。

だが、今は違う。素材自体が弱くなっているので、反発を期待して押しすぎてしまったら、そのまま戻ってこないばかりか、場合によっては壊れてしまう恐れすらある。にもかかわらず、従来の「悲観的コーチング」を行っては、かえって逆効果を招くだけだろう。

さすがにそうした極端な「悲観的コーチング」は最近は少なくなっているようだが、すべての能力を平均以上に持ち上げてやろうとする考え方は根強く残っている。いわば「底上げ」をしていくわけだ。ただこの方法は時間がかかるし、本人が自信を喪失しているとき、すなわち自信を喪失して自ら動こうとしないときには、持ち上げることは非常に困難なのだ。

それよりも効果的だと考えるのは、やはりいちばんよいところを引っ張り上げるというやり方だ。その人間が得意とするところ、やりたいこと、興味を持っている部分をうまく刺激してやるわけだ。そこに釣針を引っ掛けて引っ張り上げてやれば、それにつられて全体も自然に上がってくるのである。

ラグビーでは、「走るのは得意だがタックルは苦手」という選手がいる。これまでそういう選手はタックルの技術が身につくまで試合に出さないというのがふつうだった。けれども私は、試合に使うようにした。

なぜか。タックルの練習をさせて個人の力を底上げするというやり方、つまり、まずは弱点を克服する方法では時間がかかる。本人にも相当な覚悟が求められる。ならば、そうするよりも選手の長所を伸ばしてやることを考えたほうが内発的モチベーションの発露を促すことになると思ったのだ。短所にはある程度目をつぶり、長所をうまく持ち上げながら試合に使っていくと、本人にも欠点を直そうという意欲が湧いてきて、自然とタックルの技術も向上するものなのである。

私が神戸製鋼のキャプテンだった頃、山下利幸という右プロップがいた。山下は動きが速く、素早いサポートができたが、それだけに体重が八〇キロそこそこしかなく、プロップとしては心もとなかった。プロップは文字通りスクラムの「プロップ」、すなわち「支柱」となるポジションである。しかも「三番」をつけた右のプロップは、相手の左プロップとフッカーの間に自分の頭を入れて両肩でスクラムを組まなければならない。したがって相手スクラムの圧力をもろに受けるため、どのチームでも大柄でしかも経験のある選手を起用するのがふつうだった。

だが、私はあえて山下をレギュラーに据えた。そのことで、もともと神戸の弱点だったスクラムがさらに弱くなる危険性はあった。だが、私が目指す神戸製鋼のラグビースタイルには山下のスピードや献身的なプレーが必要だったのだ。

はたして山下は自分の弱点であるスクラムを安定させるべく、自ら猛練習に取り組むようになった。来る日も来る日もスクラムを組み続けた。その年、神戸は最終的には関西リーグで二位に終わったのだが、緒戦では三年前にスクラムで圧倒されたトヨタ自動車に大勝した。その立役者は山下だった。対面は日本代表経験も持つベテランのプロップだったが、山下は懸命に耐え続けた。そのがんばりがあって神戸は得意のバックス勝負に持ち込むことができ、勝利することができたのである。

山下を試合に出さず「まずはスクラムをしっかり組めるようにしろ」と命じてしまったら、はたして結果はどうだったか。それはなんともいえないが、少なくともまず短所を矯正するというやり方では、選手は成長しないと私は思う。事実、私はあまり見たことがない。人間というものは、悪いところを指摘して「ここを直せ」と言っても、なかなか主体的に努力できるものではない。だからこそ、本人のいちばんいい部分をグンと引き上げてやるのがいちばんよい方法だと思うのである。

つけ加えれば、この方法は組織力を向上させるためにも応用できる。あまり戦力にならない人間を叱咤《しった》して全体を底上げするよりも、優れたリーダーの資質を持つ人間に「おまえが引っ張っていけ」と声をかけたほうが効果的だ。そうすると、そのリーダーがやる気になって、周囲を巻き込んで組織全体を引き上げてくれるのだ。そのほうが効率もはるかにいいはずである。

◉コーチと選手は対等であるべきだ

今、「怒りのコーチング」「悲観的コーチング」について触れたが、かつての日本のスポーツ界における監督やコーチと選手の関係は、決して対等とはいえなかった。監督やコーチの言うことは絶対で、選手は黙って従っていればいいという考え方が主流だった。もっといえば、指導者の言うことをどれだけしっかり聞き、そのとおりに行動するかが選手の評価とさえなっていたと思う。今でもそうした指導を行っているところは決して少なくないと思われる。

しかし、そうしたチームや選手が大きな成果を上げるケースは確実に少なくなっているのが現実である。なぜなら、指導者の言うことを黙って盲目的に聞いているだけでは、選手自身が問題を発見し、自分で考えて解決しようとする能力がなかなか育たないからだ。そうなると、「練習のための練習をする」という不毛な循環が起きてしまう。ただやらされるまま、何のためにそれをするのかわからないで練習を繰り返すのだから、本当の実力が向上するわけがないのは道理である。

本来、選手と指導者の関係は対等であるべきだと思っている。もちろん、人間としての常識や礼儀はわきまえていなければならない。年上の監督やコーチに敬意を払うのは当然である。しかし、「もっと強くなる」とか「このプロジェクトを成功させる」という目標を達成するためには、おたがいが対等な立場で問題を考え、発言し、どうすればいいのかという意識を共有しておくことは絶対に必要だと私は思う。「おれが正しい」と指導者が自分だけの考えを強要することは、そのチームや選手のモチベーションを低下させることにしかならないだろう。

◉「教える側が主体」から「教わる側が主体」へ

そもそも指導を受ける側が持っている力には個人差がある。教わったことを理解する力や実践する能力はそれぞれ違うし、習熟のスピードも異なる。つまり、コーチングを受ける人間が必要とするものは、決して一律ではない。その意味で、コーチングとは「相対的」なものだ。

にもかかわらず、これまでの日本のコーチングは、教える側が「絶対的」だった。監督やコーチが「おれの言うことをやれ、理解しろ」と命令するだけだったのである。

だが、コーチングとは本来「相手が求めていることを教える」ことが基本であるはずだ。言い換えれば、コーチングの「主体」とはすなわち「教わる側」なのである。そうであるはずなのに、教える側が主体になるという逆転現象が起こっていたのが、従来の日本のコーチングだったのである。

「教わる側が必要としているものはそれぞれ違う」という現実を無視して、教える側が主体のコーチングをしてしまえば、教わる側の内発的モチベーションは上がってこないし、向上心も湧いてこない。何より、自分で考え、創意工夫するという、人間が成長するためにいちばん大切な意欲が生まれなくなってしまう。それでは伸びるものも伸びなくなってしまうのは当然である。

だからこそ、指導者は「教わる側が主体」のコーチングを心がけなければならないし、それにはコーチングを受ける人間が今、どういう心境なのか、どのような思いを抱いているのか――私なりの言い方をすれば「臨場感」――を感じ、理解しなければいけない。

◉何を求めているのかを察知せよ

だが、それだけでは充分ではない。臨場感を感じたうえで、さらにもう一歩踏み込んで、「この人間は何を求めているのか」を察する力、すなわち「洞察力」を指導者は持たなければならないと思う。

人間というものは、興味のあることとかおもしろいと感じたことに対しては、能動的になるものである。同時に、いくらそれが正しいことであっても、おもしろいと思わなければ、積極的に取り組む気にはなれないものだ。

私がラグビーを好きになったのも、もとはといえば中学時代の恩師が「正しいか正しくないか」「うまくなるかうまくならないか」ということよりも、「おもしろいかおもしろくないか」を第一に考え、私たちに「おもしろい」ことを提示してくれたことが大きかったと、今にして思う。結果として、私は「もっとうまくなりたい」と強く願い、そのためにはどうすればいいのか考えるようになった。相手が求めていることを提供し、興味を引き出すきっかけをつかめれば、その人間は自然と積極的に物事に取り組むようになる。

そうはいっても、「教えてほしいことばかり教えていられない」という人がいるかもしれない。たしかに、状況によっては「教えてもらいたいこと」と「教えたいこと」が必ずしも一致しないのは事実である。

だが、そこでも問われるのは洞察力だと思う。相手が求めていることを察すると同時に、その人間の人となりを理解し、「今何が必要なのか、何を教えるべきなのか」を察するのだ。そのうえで、本人に何をしてほしいのか、あるいはどこを直してほしいのか、そうすることによって本人やチーム・組織にどれだけプラスとなるのかということを、指導者は言葉できちんと説明できなければならない。そうしたことを本人が理解できれば、モチベーションは上がっていくはずである。

コーチングにおいてもっとも大切なのは、「やる気にさせること」だと言った。そのためには、「今現在の自分には何が不足しているのか」に気づかせ、「どうすればいいのか」という道筋をつけてやることが大切だと思う。本人がそれを理解すれば、自然と自分から積極的にスキルアップを図るようになり、人間的にも成長していくはずだ。あとはそれを見守り、しかるべき時期にしかるべきアドバイスをすればいい。

だが、そのためには指導者に、相手の個性を見極め、相手が今何を求めているかを正確に察する「洞察力」が必要不可欠である。

◉「ほめる」と「叱る」

「ほめる」ことと「叱る」こと。このふたつは人間を育てるうえで非常に大切なポイントであることはいうまでもない。だからといって、ただやみくもにほめ、叱ればいいというものではない。それぞれテクニックともいうべきものが必要だ。その巧拙《こうせつ》で、相手に与える効果は大きく違ってくる。

とくに叱る場合は注意を要する。先ほども述べたように、反発係数が低下している人間に対しては、下手に叱ると取り返しのつかない結果を招く恐れがあるからである。

叱るとき、もっともいけないのは「叱るために叱る」ことだ。指導するために叱っていたのに、そのうちに関係のないことまで思い出して怒ってしまい、何のために叱っているのかわからなくなってしまうようなケースである。ひどい場合には、叱ることで自分のストレスを解消したり、たんに自分の怒りをぶつけているだけだったりということもある。

また、「おまえがちゃんとやってくれないと、おれが困る」という叱り方もよくない。こういうケースはとても多いのではないか。自分のために叱ってくれているのかどうかは、叱られている当人がいちばんよくわかっている。保身のために叱っていることを見透かされてしまえば、絶対に相手は聞く耳を持たなくなる。「そうしないと、おまえ自身が困るんだよ」という叱り方をしなければならない。

叱るときに重要なのは、先ほども述べたが、何のために叱っているのか、どこを直してほしいのか。そうすることで本人や組織・チームにどれだけプラスになるのかということをきちんと説明できるだけの材料を持ち、かつ語れることだ。それができなければ、叱ることはマイナス効果しかないと私は思う。

また、結果としては期待したほどの成果をもたらさなかったとしても、本人に努力した形跡が見られたのなら、結果だけを取り上げて叱るべきではない。むしろ、きちんと評価し、励ましてやることが大切だ。

一方、ほめる場合は叱るときほど難しくはないだろうが、それでもより効果的なほめ方というものはある。私が高校三年生、ラグビー全国高校選手権決勝の朝のことである。私は準々決勝で太ももを筋断裂しており、決勝を前にほとんど動けなくなっていた。朝、私が山口先生の部屋に行くと、先生は湯船にお湯を張り、私の足を手当てしてくれた。そして、足をさすりながら私が入学してきた頃の思い出話をしながら、最後にこう言ったのである。

「今日の試合はおまえと心中だ。痛いのはわかっている。立つのが精一杯だろう。もう何もしないでいい。何も求めない。ただグラウンドに立っているだけでいいよ……」

ジーンときた。直截《ちょくさい》的な言葉でほめてくれたわけではない。先生には私をほめるという意識すらなかったかもしれない。だが、どんなほめ言葉より私を奮い立たせた。私は先生の言葉から、心から私を思ってくれる先生の愛情と信頼を強く感じた。決勝では本当に調子が悪く、思うように動けなかったのだが、先生の言葉を思い出すと、すごくリラックスしてプレーできた。結果、われわれは大阪工業大学附属高校に勝ち、初の日本一を達成できたのである。

このように、ほめるときも叱るときも、やり方によって効果は大きく違う。指導者の人柄や相手によっても変わってくる。したがって、あらかじめ「こいつは叱ったほうが伸びるのか」、あるいは「好きにさせておいたほうが力を発揮するタイプなのか」ということを個別に見極め、それぞれに対してどのように接するのがもっとも効果的な方法なのかつかんでおくことが重要である。

◉強制するなら結果を出させろ

人間が成長していくためには、そして組織が目標を達成するためには、個人の内から湧き上がる「内発的モチベーション」が大切だと、これまで私はたびたび言ってきた。ところが、私がそう発言すると、多くの指導者はこう反論する。

「それはわかります。でも、叱り飛ばすなり、罰を与えるなりして、強制的にでもやらせるほうが成果は出るんです」

短いスパンで考えれば、それは事実かもしれない。だが、もしそうであるなら、その人間はそういう状況に追い込まれて初めて必死になったということだ。つまり、それまではいいかげんにやっていたということを証明することにならないだろうか。だとしたら、ものすごく低次元の話だと私には思えるのだ。

コーチの役割とは、わかりやすくいえば「ゼロの状態をプラスにしてやる」ことである。しかし、いわゆる「怒りのコーチング」は「マイナスをゼロに戻してやる」だけなのではないか。一度ゆるんでいたものを通常の状態に戻すだけなのだから、それなりの即効性はある。だが、「プラス」の状態に引き上げることは絶対に不可能だと私は思う。

とはいえ、誤解してほしくないのだが、私は「強制して何かをやらせること」を全否定しているわけではない。スポーツに限らず何事も最初からうまくできるわけはないのだから、まずは無理やりにでもある程度できるようになるまでやらせてみることは必要だ。「教育」という言葉のもともとの意味は、たしかに「引き出す」ことだが、同時に「鋳型《いがた》にはめる」という意味もあるそうだ。

事実、強制されて、つまり外圧を加えられておもしろさに気がつくということはある。私を含めた伏見工高のラグビー部員たちがまさしくそうだった。監督だった山口良治先生は、われわれに非常に厳しい練習を強いた。有無を言わせぬスパルタ式であった。そのため、入学した当初の私は練習がいやでいやでしかたがなかった。私だけでなく、おそらく全員が同じ気持ちだったろう。練習をサボったりすると、殴られることもめずらしくなかった。

けれども、そうやって苦しい練習を強制させられているうちに、身体が大きくなって体力がつき、ラグビーもうまくなっている自分たちの姿に気がついた。強くなってきたなという自覚も芽生えてきたし、実際に強くなっていた。それでおもしろくなって、全員が先生に言われなくても自分から進んで練習に取り組むようになり、そうなるともっと強くなっていったのである。

そういうケースは決して少なくないはずだ。つまり、たとえ最初は強制されてでも、結果として本人が喜びや達成感を感じられれば、それをきっかけとしてどんどん能動的に取り組むことができるようになる。外圧を内圧に転化させることができるわけだ。

そう、強制させて何かをやらせるときに大切なのは、「結果を出させる」ということなのだ。「やればできる」という実感を味わわせなければいけない。言葉はよくないかもしれないが、「味をしめさせる」のだ。そうすれば、次は仮に強制的にやらせたとしても、本人はそうとは思わなくなる。「やればできる」という味をしめたのだから、自分からやるようになるのだ。

これを指導者の立場から見れば、「これをやれ」と命じたとき、必ず結果を出させることが大切だという意味になるだろう。それは強制させる側の責任だといってもいい。そうしないと、絶対にいい方向には転がらない。

◉やらされる量とやりたい量のバランスをとる

そのためには、「やらせる量」と「本人がやりたい量」のバランスをとることが大切だ。「いやいややっている」状態というのは、言い換えれば「やらなければならない量」が「本人のやりたい量」を上回っている状態なのである。

私自身の経験でいえば、先ほども述べたように、高校一年生のとき、ものすごく練習をやらされた。すごくつらかった。いやでいやでたまらなくなった時期があった。

「どうしてこんな気持ちになるのだろう」

あるとき、私は考えてみた。中学時代はそんな気持ちになったことがなかったのである。すると思い当たった。やりたい量とやらされる量が一致していなかったのだと――。

私が通っていた中学の校庭は狭かったので、ラグビー部は週二、三回しかグラウンドを使えなかった。しかも下校時間は五時だから、練習できるのはせいぜい一時間ちょっと。自分が「やりたい量」には全然足りていなかった。

ところが、高校では毎日毎日、それこそ無制限で練習をした。やりたい量を完全に上回っていたのである。でも、そのうちに体力がついたし、技術も向上した。そうなると、さらなる高次を目指す自分に気がついた。自分がやりたいと思っている量のほうが、やらされている量を上回る状態になっていたのである。だから自分からやろうとしたし、実際にやった。

逆に、やりたい量がたとえば三なのに一〇やらされているとしよう。七もオーバーしている。これはきつい。そのまま続けていけば、積み残す量はどんどん増えてしまう。やりたい量とやらされる量のギャップが増えれば増えるほど、内発的モチベーションが低下するのは必然である。

そもそも「やる気がない」のと「やる力がない」のは違う。自分ができる力以上にやらされては、やる気までなくなってしまう。指導者やリーダーは、その段階に応じて本人がやりたい量とやらせる量のバランスがうまくとれるよう配慮することが必要だ。

その意味でも「的確な目標設定」が大事になるわけだ。ひとつの目標が達成されれば、本人にはすごい自信になる。そして、そこから物事の捉え方や見方が大きく変わることもある。そのためには強制的にやらせる時期があってもいい。いや、むしろ長い目で見ればいい経験になることが多いのではないか。

ただ、強制的にやらせて成果が出るのは、未成熟な状態、あるいは過渡期だからだといってもいい。そういう状況下ではまだ伸びしろがあるわけだから、無理やりやらせればそのぶんだけは引き上げることができるのだ。だが、いつかは限界がくる。伸びしろを使い切ってしまえば、いくら尻を叩いてやらせても成果は出なくなってしまう。そうなれば必然的に内発的モチベーションは低下してしまう。そこを忘れてはならない。

だから、ある程度まで技術なり思考なりが身につき、目標を実現するだけの方法論や自分を律する力が備わったら、あとは本人の主体性や自主性にまかせるという度量が指導者には必要なのである。そうでないと、ずっとその人間を見張っていなければならなくなってしまう。

「やらされている」状況では、管理されなければサボるというのが人間だからだ。

そうならないためには、本人の自分から取り組むという意欲が必要だ。そして、その意欲にまかせたほうが、強制するよりよい結果を生むのである。

現に、山口先生もわれわれが目標に向かって自主的に練習に取り組むようになってからは、あれこれ細かいことは言わなくなった。にもかかわらず、われわれはどんどん強くなっていったのだ。

◉教えるより考えさせろ

主体性を引き出すには、常日頃から考える習慣をつけさせなければならない。言い換えれば、コーチングにおいては、教わる側が自分で考えるような状況をいつもつくってやることが非常に重要だということになる。

私が中学一年生のときである。ラグビーでキックオフをするとき、どういうわけか誰もが相手がたくさんいるサイドにボールを蹴っていた。もちろん、ルールで決まっていたわけではない。それが常識だったのである。

だが、私は思った――「おかしいんじゃないか。人がいないほうに蹴ったほうが有利じゃないのか?」。

おそらくほかの部員は先生に「こっちに蹴れ」と言われて、何の疑問も抱かずにそうするものだと思っていたに違いない。

私は先生に聞いてみた。「どうしてこっちに蹴るんですか」。すると先生は、「相手が少ないサイドは味方の人数も少ない。そのほうが危険やから」と答えたのだ。味方が少ないほうに蹴るのはリスクが大きい。相手は多いけれど味方も多いサイドに蹴って、そこで取り合いをするほうがリスクは小さい。だからそっちに蹴るということが理解できた。

当たり前だといわれるかもしれない。けれども、そのことを理解してプレーするのと、ただ習慣的にプレーするのでは、まったく違う。次に起こった現象に対する対応が格段に変わってくるのだ。「どうしてなのだろう」と、その意味を探ることが非常に大切だと思う。それが物事の本質を理解することにつながるからだ。常識だからといって、どうしてなのか疑うことなく従ってしまえば、本質を理解したことにはならない。つまり、それがもっとも効率的だから、長い歴史の中でそれが「常識」となったということを理解して初めて常識が身についたことになるわけだし、新しい展望が広がると思うのだ。

別の例を出そう。私たちがラグビーを始めた頃は、ラグビーを指導する場合、まずパスの放り方から教えるのがふつうだった。それはいいのだが、そのとき多くの指導者は「手首を返せ」とか「腰を入れろ」と、まず「型」から入ってしまう。だから、日本人選手のパスの投げ方はみな同じ形になり、事実、それはたしかに美しい。

だが、ラグビーのパスにおいて大切なのは美しさではない。この点を大多数の指導者は忘れている。パスとは、Aという選手からBという選手にボールが移動することである。そのときもっとも重要なのは、Aがボールを持っていたときより、Bにボールが渡ったときのほうが状況がよくなっているということだ。そうならなければパスをする意味がない。よりよい状況をつくり出すためにパスという行為が存在するわけだ。それがパスの本質だ。型を教えるのは、あくまでもパスを放る際にもっとも効率がいいからという理由にすぎない。

ところが多くの指導者は、あたかも型がパスの本質であるかのように考えている。そのように教えられるから、ときおり日本の選手はボールを受けた瞬間にタックルを受けてそのまま病院行きになるような、いわゆる「ホスピタルパス」を投げてしまう。自分よりパスを受ける人間の状況のほうが悪いことに注意が払われないのである。本質を理解していないのだ。

同じ練習をするのでも、なんのためにそれをやるのか理解してやるのと、常識だから、言われたからやるのとでは、効果や結果に大きな差が出てくる。だから、日頃から自分で考える習慣をつけさせなければいけないのだ。

たとえば、野球の素振りの練習をしている子どもがいるならば、「どうしてバットを振っているの？」とひと言問いただしてみるだけでもいい。すると子どもは考える。

「ボールを打つためです」

「でも、実際に球を打ってないよな。どうしてそれが打つ練習になるの？」

また子どもは考える。

「続けていれば打てるようになると思います」

「いや、振る練習にはなるけど、それだけじゃ打てないよ。打てるようになるには何が必要だと思う？」

すると、ほとんどの子どもはとまどうであろう。

そして「ピッチャーの投げるところをイメージして振ってみたらどうなる？」と聞いてあげたら、子どもたちは気づくはずである。

振るための練習から打つための練習に近づくことだと。つまり、このことに気づくだけでも、練習の効果は格段に違ってくるはずだ。

要するに、なかば習慣的になっていることに対して、刺激を与えるのである。そうすることで思考力や効率を高めることが大切なのだ。

◉本人が気づいていないことに気づく眼力

もうひとつ、コーチングに言葉が大切なのはいうまでもないが、だからといってあれこれ教えてしまうのはよいことではない。あなたの周りにもよくいるだろう。ゴルフに行くと「グリップがダメだな」「スタンスも位置が悪い」「肩が開いている」とか、一度にあれこれ指摘して矯正しようとする教え魔が……。

もちろん、その人はなんとかして上達させてあげたいのだと言うかもしれない。が、私にいわせれば、その人は本当の意味で相手をうまくなるようにしてやりたいと思ってはいないのだ。いきなりあれこれ言われても、混乱するだけである。相手の立場になればすぐにわかる。

ほんとうに上達させたいと思うのなら、「ひと言、簡潔にワンポイントだけ指摘してやる」ことだ。そして、ここが肝心なのだが、その「アドバイスは必ず本人ができることでなければならない」。しかも、「そうすることによって劇的に状況が変わること」。この三つはアドバイスにおいて大変重要なポイントである。

これは私が体験したことだが、どうしてもボールがまっすぐ飛ばなかったあるとき、ある人が「グリップをこうしてみろ」とひと言だけアドバイスをしてくれた。そのとおりにやってみたら、嘘のようにボールがまっすぐ飛ぶようになった。

こうなると教えられたほうは、「ああ、あの人の言うとおりにやったらうまくいく」と思うし、次にまた壁にぶち当たったときにもアドバイスを求めてくるようになる。信頼関係がより強まっていくのである。

ゴルフであれば、グリップならグリップ、スタンスならスタンス、ワンポイントだけ簡潔に指摘してやることが大切である。難しいといわれるかもしれない。だが、スポーツにしろビジネスにしろ、その人間の成長を促さなければならないケースでは、教える側の責任として、本人が気づいていないことを指摘するくらいの客観性と眼力は絶対に必要だと思う。

◉失敗の恐怖を取り除く

たとえば大事な場面でミスが起きてしまったとする。すると、多くのコーチは「集中力が足りない」と片づけてしまう。「気合が足りない」と言う人もいる。そのミスはほんとうに集中力や気合が足りないから起こったのだろうか。じつはほとんどの場合、技術力が足りないのが原因である。

ラグビーでいえば、ボールが回ってきたとき、余裕がありすぎたあまり、相手の動向をうかがってついボールを取り損なってしまったケース。これはどう考えても集中力が足りなかったといっていい。一方、相手が接近してきたときにボールが回ってきて、取り損なってしまった。これは技術力の問題であると私は思うのだ。

このふたつのケースは非常に単純な例だが、しかしミスの原因をたんに気合や集中力に求めてしまう指導者は意外に多いものだ。しかし、ミスが起きた原因をきちんと見極め、整理し把握しておくことは、非常に大切なことである。そうしないと、間違った練習の進め方をしてしまい、結果として同じミスを繰り返す危険性があるからだ。もしかしたら、指示を出した指導者のミスという可能性もあるのだから……。

技術力がないのなら、まずはそれが動作の問題なのか、判断の問題なのか、その問題の所在を明らかにし、それを改善するドリルを提供する必要がある。集中力が問題であるならば、気構えだけの問題なのだから注意を促すだけでよかったりする。そこを間違うと、多くの時間を練習に費やさなければならなくなる。効率からいっても非常に無駄が多くなるのだ。

そもそもミスしたことに対して、怒ってもしかたがない。ますます萎縮するだけだ。何より大切なのは、「失敗に対する恐怖感をなくしてやる」ことだろう。「失敗したってたいしたことないぞ」と思わせてやるのだ。練習ではできるのに、試合でどうしてもミスをしてしまう選手に、私はよくこう言ってやる。

「失敗しても殺されるわけではないぞ」

これは実際に私が言われたことでもある。事実、緊張感から自分を見失っている人間は、まさしく「殺されるんじゃないか」と思っているのではと感じられるほど怯えた顔をしているものだ。そこで「たとえおまえがミスしたって、命をとられるわけじゃないんだ。まだチャンスはある。ふだんどおりにやれば大丈夫だ」と語りかけてやる。

これはスポーツの場だけに限らない。どんなに致命的なミスをしたとしても、一国の首相か大統領でないかぎり、それで世界が一変するわけではない。そう思えるように仕向けてやるのも、指導者の大きな役割であり、責任なのである。

◉もがき苦しむことで「切り換える力」を身につけさせる

前章の最後で、「視点を切り換えて活路を見出す」ことの重要性を述べた。それでは、これを指導者の側から考えるとどういうことになるだろうか。つまり、選手や部下が壁にぶち当たり、もがき苦しんでいるときに、指導者はどのように接するべきかという問題である。

そんなとき、「こうしなさい」と答えを教えてしまう指導者は少なくない。そこまでしないにしても、たいがいは手を差し伸べ、一定の道筋をつけてしまうのではないかと思う。

しかし、コーチングに「絶対」はない。相手の個性によって異なるし、状況によっても変わってくる。何より、本人の受け止め方や気持ちひとつでまったく違う結果を生むことになるのである。その意味でもコーチングとはあくまでも「相対的」なものなのだ。

とすれば、もがき苦しんでいる人間に対して指導者がするべきことは、あえて問題と向き合わせ、とことんまで自分と闘わせながら、進むべき方向性を自分なりに見つけるための「環境」をつくることだと思う。自分で解答を導き出せるような余裕を与えてやるとか、本人が気持ちや視点を切り換えるためのさまざまな仕掛けを用意してやることこそが重要なのではないかと思う。

とはいえ、今述べたように、コーチや上司にとって、選手や部下が自力でターニングポイントを乗り越えるのを待つことは、大変な忍耐力と勇気を必要とするのも事実だろう。とりわけビジネスにおいては、それだけの余裕がないケースも多々あるはずだ。それに、彼らが悩んでいる問題にはそもそも正解なんてないかもしれないのである。

けれども、人が成長し、より大きな力を発揮できるようになるためには、苦しみながらも自分自身でなんらかの答えを導き出し、壁を打ち破ることが絶対に必要だ。そして、そうした機会が減っていることが最近の社会全体の弱体化を招いている一因になっているように思えてならない。だからこそ指導者には、組織全体の目標はきちんと見据えたうえで、個々が自力で問題を解決するのを待つだけの力が求められると思うのだ。

阪急ブレーブス（現オリックス・バファローズ）のエースとして活躍した山田久志さんから、こんなエピソードを聞いたことがある。山田さんが一軍に上がったのは入団二年目だった。ところが、デビュー後七連敗を喫してしまった。それに伴い、前年にリーグ優勝を飾り、その年も優勝候補の本命と目されていた阪急は下位に低迷してしまった。「なぜ山田を使うのか」という不満がチーム内からも出たという。五連敗したときだったか、山田さんは当時の監督だった西本幸雄さんに呼ばれ、こう言われたそうだ。

「勝てないのはいい。それは君を使っている私の責任だ。でも、自分自身を振り返ってみなさい。君は登板する前に、自分の調子をきちんと整えたり、相手を研究したりと、投手としてやるべきことをちゃんとやってきたか？　もし君がそうした準備を怠らず精一杯投げているのなら、『なぜ山田を使うんだ』という声は起きないはずだ。それどころか君の姿勢を評価して、なんとか勝たせてやろうと思うものなのだ」

そうして、最後に西本監督はこう言った。

「今年一年はどんなに勝てなくてもファームに落とすことはない。その代わり、毎日投げる準備をしてこい。それが条件だ」

西本監督のこの言葉は、その後も山田さんの中でずっと生き続けたという。この出来事があったからこそ、プロとしてはとりたてて才能に恵まれていたわけではない自分が通算二八四勝を積み重ねることができたのだと山田さんは言っていた。

西本監督が山田さんに対してしたように、選手や部下が苦境にあえいでいるとき、指導者は彼らが自力でそこから抜け出すことを期待し、そのための適切なアドバイスをしながら、辛抱強く待ち続けなければいけないと私は思う。ターニングポイントを乗り越えたとき、その人間は「強い個」を獲得できるからだ。

ただし、その際に忘れてはいけないのは「ミッション」と「ビジョン」をきちんと示してやることである。すなわち、「何のために」それをやり、「どうなってほしい」のか。それを明確にしてやらなければ、人間はそうそう意欲が湧いてくるものではないし、努力できるものでもない。そうなれば、選手や部下を育て、動かしていくことは不可能である。

西本監督にも山田さんを将来のエースにするという「ビジョン」があり、そのためには「投手としてやるべきことをやる」という「ミッション」を課したのだろう。だからこそ、山田さんもそれに応えたのだ。

同時に、この「ミッション」と「ビジョン」を達成するためには、指導者に「パッション」、すなわち熱意が必要だ。しかも、それはただ「熱い」だけでなく、自身の経験から導き出された、しっかりしていてかつ冷静なものでなければならない。

「ミッション」と「ビジョン」と「パッション」。この三つを指導者はつねに持ち、選手や部下がターニングポイントを自力で乗り切るのを見守ってほしいと私は思う。そうして「切り換える力」を身につけたとき、その人間は確実に成長しているに違いない。

第三章

人は生まれながらにしてリーダーである

◉キーワードは「キャパシティ」

ここまで、「強い個」を獲得するためにはどうすればよいのかという問題について、「強い個」を獲得しようとする本人とそれを手助けする指導者、双方の視点から述べてきた。ここではさらに一歩進んで、そうした「強い個」を率いるリーダーに必要な条件ともいうべきものを考えてみよう。

これまでリーダーと呼ばれる立場にある人間には「カリスマ性」が必要だと考えられてきた。

ところが、まさしく「カリスマ」と呼ばれ、一時代を築いたリーダーたちが、近年相次いでその座を追われている。その原因には、「周囲がイエスマンばかりで〝裸の王様〟状態だった」「時代を読み誤った」などさまざまなものがあるだろうが、私は次のような現実も大きいのではないかと考えている。すなわち、現代という時代には「カリスマという存在」はもはや成立しえなくなったのではないかと——。

「カリスマ」とは何を意味するのか。私は辞書で調べたことがある。そこにはこうあった——「神からの賜り物」。つまり、周囲の人々に対して、あたかも人智を超えた力を持っているかのような雰囲気を感じさせる人物が「カリスマ」と呼ばれるわけである。

それでは、なぜ周囲の人々がそのように感じるのか。そこに「秘密」があるからだと私は思う。かつては、カリスマと呼ばれる人物の日常が明かされることはほとんどなかった。だから人々は、その人物が成し遂げた仕事やパフォーマンスの裏側には、何か特別な力が働いているのではないかと想像した。カリスマと呼ばれる人物の側からすれば、日常を見せないこと、つまり自分の「秘密」を守ることでカリスマ性を保っていたのである。

しかし、これだけ情報化が進んだ社会においては、いくらコントロールしようとも、「秘密」を守ることは不可能といわざるをえない。知名度が上がれば上がるほど、さまざまな情報が流出するしさまざまな情報が流出するし、リーダーとして長く君臨すればするほどボロが出てしまう。となれば、もはやカリスマという存在自体が成立しえなくなっているのではないか。いわば、、

リーダーの「賞味期限」ともいうべきものが非常に短くなっているのが現代という社会なのだ。

それでは、こうした時代において求められるリーダーの資質とは何か――それは、ひと言でいえば「キャパシティ」であると私は思っている。すなわち、異質なものやいびつなもの、対立するものを排除しようとするのではなく、取り込んでいく力のことである。自

分と違う意見を頭ごなしに否定するのではなく、「そういう考え方もあるな」と認める。たとえ昨日までは敵だったとしても、今日になって状況が変わったのなら平気で手を握ることができる。そのくらいの「寛容性」が、これからのリーダーには欠かせないと思うのである。

◉大局的損得勘定を持て

キャパシティとは、換言すれば「大局的な損得勘定」を持っているかどうかということでもある。

「損得勘定」という言葉は、ふつう、あまりよい印象を与えない。しかし、集中力、決断力、思考力の源は、究極的には「損」か「得」かといってよいだろう。「損」か「得」かというのは個人的なレベルではなく、チームにとって最大の利益を生むかどうかという視点に立ってのことである。

ラグビーでもビジネスでも、物事を決定する際に私は、いつも「どれが得か」を考えて判断を下してきた。つまり、将来的に目標を達成するためには、今どうするべきなのか。そのときの状況を客観的に捉え、さまざまな選択肢の中からチームにとって「もっとも得だ」と思われる方法を選択してきた。

当たり前のことだと言われるかもしれない。ところが、その判断ができないリーダーが現実には意外に多いのだ。つい目先の利益や自分の都合を優先させたり、自分よりも優秀な部下がいると、妬《ねた》みや恐怖心からその部下をうとましく感じたりしてしまうのである。過去に因縁のある相手とは二度と手を組みたくないという人間も少なくない。

だが、それでは「もったいない」と思う。人間であるから、好き嫌いの感情を持つのは当然だ。だが、そのときは多少の不利益を被《こうむ》ったり、不愉快な思いをしたりしたとしても、そうしておくほうが将来的には有益だとしたら、気にくわない部下であってもその活用法を考えたほうが賢明だし、たとえ敵対関係にある相手にも「一緒にビジネスをしよう」と持ちかけるのを厭《いと》わない。

つまり、どういう行動をとれば、その個人なり組織がより大きな成果を得られるか。その判断を、大局的な見地に立って下すことが大切だ。そうした「大局的な損得勘定」はリーダーに必要不可欠だと思うし、もっといえば、そういうリーダーしかこれからは生き残れないとさえ、私は感じている。

目先の小さな損得勘定なら誰でも判断できる。リーダーと呼ばれる人間は、そんな自分にとって損か得かではなく、今こういう決断をすること、こういう行動をとることが、チームにとって、あるいは社会にとって、もっといえば地球にとって、損なのか得なのか。その視点が重要である。

こうした大局的な損得勘定は、すぐには判断がつかないケースが多いだろう。だが、その規模と判断のスピードがリーダーシップそのものであり、もっといえばリーダーの価値を示すと思っている。

ただし、そのためにはリーダー自身が「強い個」であることが前提となるのはいうまでもない。異質なものや対立するものを受け入れるには、自分自身の強さが必要であるからだ。リーダーが自分のことで精一杯であったり、不安ばかりを増大させていてはキャパシティを広く持って大局的な判断をすることなど不可能だし、メンバーの士気にも影響を及ぼしてしまう。その意味では、リーダーも挫折を経験しながら、弱い自分と向き合っていくことが必要になる。その葛藤を乗り越えてこそ、その人間は強いリーダーたりうるのだ。

それではどうしたら広いキャパシティを持ったリーダーになることができるのだろうか。

◉リーダーほど目の粗いフィルターを持て

自分とは違うアイデアや発想を前にしたとき、「なんだこれは?」と感じてしまうのが人間という生き物である。年齢を重ねるほどそうした傾向は強まっていくし、まして立場が下の人間の提案に対してはリスクをはじめとするマイナス面ばかりが目につき、「そんなものはダメだ」とか「わかってないな」とつい否定的に見てしまう。だが、そうなってはそのアイデアが持っていたかもしれない可能性の芽を摘《つ》むことにもなってしまう。

日本の組織の多くは、いわゆるボトムアップ式の意思決定システムを採っている。そのため、どうしても意思決定のスピードに欠け、また責任の所在があいまいになりがちなのは事実だが、あれはあれでリスクヘッジのためにはなかなかよい方法だ。あるプロジェクトなり懸案なりを、下から揉《も》んでいって、その是非を最終的には知識や経験に長《た》けたトップの立場にある人間が判断する。各所でフィルターをかけていけば、それだけリスクは軽減されるはずで、その点ではシステム自体は必ずしも否定されるべきではない。

では何が問題かといえば、上に上げれば上げていくほど、プランがもともと持っていた可能性やおもしろさも削られていってしまうことだ。リスク回避という面にばかり目がいき、否定的にしかそのプランを見られなくなってしまうのである。

そうではなくて、これをポジティブに見られれば、状況はずいぶん変わってくるはずだ。たとえば平社員が上司に対してある提案をした。その提案は客観的に見てなかなかおもしろいものなのだが、現状ではいくつか不備があり、そのぶんリスクが高かったとする。そのとき上司がリスクにばかり目がいってしまえば、それでおしまいだ。突き返されるか、上司のデスクにしまい込まれるだけだろう。

だが、「おお、おもしろいじゃないか」となればどうなるか。プランのよいところは残したうえでリスクを減らす方法を部下と話し合い、加工してさらに上に上げるだろう。そして、それを受けた上司も同様に、自分の知識や経験、情報を加味して改良を加え、その上に持っていく。するとその上司も……というふうに、はじめの提案のよさは残したうえで、いたらない部分をその立場立場で補っていき、最終的にトップがそれをまた改良したうえで決定を下す。つまり、上にいけばいくほどプランが雪だるま式に大きくなっていくような流れができれば、結論はまったく違うものになるはずなのだ。

ボトムアップ式の是非はともかくとして、ここで私がいいたいのは、上の人間になればなるほど、フィルターの目を粗《あら》くする必要があるということである。リーダーは、マイナスを埋めることにばかり力を使わず、プラス面を引き出す努力をすべきなのだ。

これは人間に対しても同様だ。出会ったことのないタイプの人間に対すると、多くの人はまず違和感を持ってしまう。それまでの自分の尺度で判断してしまい、理解不能な場合には排除してしまう。私とて例外ではない。

そんなとき私は、まず自分を疑ってみるようにしている。はたしてほんとうに自分の尺度が正しいのか。経験や長年の勘や知識だけで判断してはいないだろうか、と……。

これは私もたびたび感じていることなのだが、他人のアイデアや意見を否定的に見てしまうときは、往々にして自信を喪失している場合が多い。ネガティブになっているわけだ。だから、否定がまず先にきてしまう。逆に自分に自信がある場合は、受け入れる度量があるからポジティブに見られる。したがってアイデアがどんなに粗いものであっても、「ああ、それもいいじゃないか」と、プラス面に目が留まるものだ。

その意味でもアイデアが否定的に見えてしまうときは、まずは自分を疑ってみたほうがいい。そのうえで「やっぱりダメだ」となったのなら、それはかまわない。もともと使えないものだったのだ。

ただ、そうしたプロセスを一度は踏まなければ正しい答えが出ないばかりか、可能性をみすみす捨て去ることになりかねない。そうなれば組織の士気にも影響してくるのである。

◉必要なのは「説得力」ではなくて「洞察力」だ

そもそもこれだけ情報化が進み、個人の価値観が多様化している中で、物事の感じ方や捉え方が一元化されることなどありえないと感じている。リーダーだけの判断基準で組織の人間すべてを従わせることなどできるわけがない。

その意味では、今のリーダーに求められているのは「説得力」ではなく、第二章でも触れた「洞察力」であると思う。すなわち、個々が持っている人間性や興味の対象、嗜好性《しこうせい》といったものを的確につかむ力である。

「洞察力」の重要性にあらためて気づいたのは、講演がきっかけだった。

初めはつまらなさそうに聞いている人が多かったのだが、最後には多くの突き刺さるような視線を感じた。

どうしてなのだろうと、考えてみた。そうして思い当たったのは、私が、そこに居合わせた人々に合わせて話をつくっていくからではないか、ということだった。講演のテーマが決まっていたとしても、私は具体的にどんな話をするか、あらかじめ準備しておかず、演壇に立ち、その場で人々が何を話してほしいのかを探りながら、話を組み立てていく。だからこそ、初めは関心のなさそうだった人も、しだいに興味を持って聞いてくれるのだろうと考えたのだ。

そもそも相手を「説得」するには、今の世の中は個々の価値観や感覚があまりにも違いすぎる。ある人にとってはおもしろい話でも、別の人には少しもおもしろくないということはめずらしくない。そこで私は話をしながら相手が何を聞きたいのか「洞察」し、興味のありそうな話題を選んで話をつくっていく。そうやって半分くらい興味を持ってくれれば、あとは聞き逃したくないと思うから、みんな耳を傾けるようになる。

そのとき私は、人を動かすために必要な能力とは「説得力」などではなく、「洞察力」なのだということに気づいた。話をしながら、人々がどのように感じているのか、内容を理解しているのか、関心を持っているのか、彼らのリアクションをつかみ取る能力こそが必要なのだ、と――。

だいたい、言うことが正しくて説得力があり、かつ内容が深いものであっても、フォロワーはそれだけでそのリーダーについていこうとは思わない。人間の価値基準は「正しいか正しくないか」だけではないからだ。

それでは人はどんなことに対してもっとも敏感に反応するかといえば、「おもしろい」ことだと思っている。もちろん、ここでいうおもしろさとは、お笑いタレントのようなおもしろさだけに限らない。強く興味を抱かせるという意味でのおもしろさ、つまり「この人についていけば、何かおもしろいことができそうだ」とか「そこには、ほかにはないものがある」という気持ちを抱けるかどうかだ。言い換えれば、自分の持つ可能性や創造力を引き出してくれるリーダーかどうかである。

だが、今いったように「おもしろいこと」「興味のあること」は人それぞれ違う。だからこそ、その人間が求めているものは何かを探る「洞察力」が大切なのだ。そして、そのために必要なのが、コミュニケーションだろう。

スポーツの世界で近年結果を残している競技をよく観察してみると、いずれも選手と監督およびコーチのコミュニケーションが一方通行ではないということに気づく。選手とコーチが対等な立場でたがいにコミュニケーションを取り合うことが組織を強化するうえで欠かせないということは、現実が証明しているのである。これはスポーツでもビジネスでも変わらない。コーチと選手、上司と部下の密なコミュニケーションは、問題の発見と解決に絶対に必要なものなのだ。

◉コミュニケーションに必要な「聞く力」

そして、コミュニケーションにおいて、とくにリーダーに求められるのが「聞く力」であると考えている。この「聞く力」は、「話す力」に較べると、これまで軽視されていたように思う。相手を説得し、自分に従わせることが優れたリーダーの条件のひとつだったはずだ。

しかし、これだけ価値観が多様化した現代では、全員を説得することなど不可能だということは、先に述べたとおりである。自分の言いたいことだけを一方的に伝えるだけでは、とくに若い人間はついてこない。そこで「聞く力」が問われてくるのである。

では、なぜ「聞く力」が重要なのか。それは、医者と患者の関係を思い浮かべれば理解しやすい。体調を崩し、病院に行ったとき、応対した医者が患者の話を聞く姿勢を持たず、「私の言うことだけを聞きなさい」という態度であったらどうだろうか。患者は不安を抱くだけでなく、不信感が芽生えるに違いない。

もちろん、患者を診ただけで病名やそうなった原因を突きとめることができる医者もいるだろう。だが、それがはずれていたらどうなるか。場合によっては取り返しのつかない結果を招くかもしれない。「患者の話を聞くこと」は名医の絶対条件のひとつにあげられるという。ビジネスやスポーツの世界も同じだ。

もうひとつ、「聞く力」がコミュニケーションにおいていかに大きな意味を持つかという例をあげよう。ラグビー日本代表の監督だったとき、私はニュージーランド人のアンドリュー・マコーミックをキャプテンに指名した。パフォーマンスやメンタルにおいて、彼がキャプテンにふさわしい存在であるという点では誰にも異論はなかったと思う。ただ、マコーミックには言葉の問題があった。すでに来日して七年が経っており、ずいぶん日本語はうまくなっていたが、それでもまだたどたどしかったのは事実である。それゆえ、はたしてコミュニケーションはうまくいくのかと危惧する声があった。

しかし、実際には何の問題もなかったのである。それどころか、むしろ前よりもチームの雰囲気はよくなったといっても過言ではなかった。なぜか。選手がマコーミックの言うことを真剣に聞こうとしたからである。マコーミックは日本語で複雑な言い回しはできない。長い話もできない。いきおい、ポイントだけをシンプルな言葉で伝えようとする。そんな彼がとつとつと話しはじめると、選手全員が注意深く耳をそばだてて聞くようになった。マコーミックの言葉を理解するために、より集中して聞くようになったのだ。私が話すときより、真剣に聞いていたほどである。

「聞く力」とは、言い換えれば相手のことをよく知ろうとする意志のことである。この人間はどういう性格なのか。何が得意で何が苦手なのか。興味があるのはどんなことか。人生の目標は何なのか……。そうしたことを知っていれば、その人間に対するもっとも適した接し方がわかるし、彼に今何が必要なのか察しもつく。そうなれば、どうすれば彼の力を効果的に引き出し、伸ばしてやることができるか、わかってくるはずだ。また、彼が置かれている場所と能力に齟齬《そご》が生じているときは、力を最大限に発揮できるような役割や居場所を与えてやることもできるだろう。

そもそも自分のことを知ろうとしない人間に、人はついていこうと考えるものだろうか。たとえ上司であっても、人間として信頼できなければ、ついていこうとは思わないはずだ。

そして、信頼関係を築くためにもっとも大切なのは、相手の話をよく聞くことである。そうすることで初めて、相手もこちらの言葉に耳を傾けるようになるのだ。相手を知ろうとする意志が見られないかぎり、よい信頼関係を築くことなど絶対に不可能だと思う。

つまり、これからのリーダーがなすべきことは、自分の「発信機」の精度を上げることではなく、「受信機」の精度を高めることだと思うのだ。そうすれば、たとえ弱い電波であっても重要な情報をキャッチしやすくなるし、同時に送り手側も発信機の性能を高めようとするだけでなく、自らの受信機の精度も上げようとするはずだ。そうなれば、コミュニケーションはより深まることになる。

ただし、「聞く力」をつけるには訓練が必要である。「聞く力」は常日頃から聞く耳を持つように意識し、会話を重ねながら訓練していかなければならない。そして、それは私自身がいつも肝に銘じていることでもある。

◉連帯を求めて孤立を恐れず

とはいえ、リーダーと呼ばれる立場に置かれた人間は、自分の言葉に力を持たせておくことも必要だ。そのためには、ほかの人間との距離をある程度とらなければならない。

中学でラグビーを始めてから、高校、大学、社会人にいたるまで、私はずっとキャプテンもしくはそれに準ずる立場に身を置いてきたのだが、その過程で痛感したことがある。

それは、リーダーは孤独であるということ。そしてそれに耐えられない人間には務まらないということである。

たしかにチームに連帯は必要だ。同じ目標を達成するにはひとつにならなければ、それはできない。だが、たんなる仲良し集団になっては勝つことはできないのもまた事実なのである。キャプテンがほかのメンバーにへりくだってしまっては、チームを強くすることは不可能だ。したがって、ときには孤立してでも自分の意見を押し通さなければならない場面にも遭遇する。そうやって、ほかのメンバーのレベルを引き上げることもキャプテンの役割なのである。

私自身、高校生くらいまでは実につらかった。同い年であっても、キャプテンはどうしてもいわば管理する側の人間の立場に近くなる。すると、それまでは一緒にバカをやっていたにもかかわらず、「おまえら、しっかりしろ」と言わなければならない。当然、相手は「キャプテンになったからって、いきなりなんだよ」と思う。結果、部員が遊びに行くときでも、自分だけ誘われなかったりする。そうなると、「なんでおれだけがこんな目にあわなければいけないのか」と感じるだけでなく、仲間がみんな無責任で勝手な人間に見えてくる。一種、被害妄想的になってしまうのだ。私もそうだった。しかし、今振り返れば、それは得がたい貴重な体験だったことがよくわかる。

たしかに、初めはほんとうに仲間に対して腹が立つ。「なぜおれの言ったことを理解してくれないのだ」「どうしてわからないんだ」と思ってしまう。けれども、そのうちにそんな不満を抱いていても状況は変わらないことに気がつく。それならば、なんとかして事態を好転させるために、こちらから彼らの心理を理解し、対策を立てようと考えるようになるのである。

そんなときに私が思い当たったのは、「間合い」というものだった。つまり、人と自分との距離、物事と自分との距離感のことである。人には「自分を活かす間合い」「自分が活かされる間合い」がある。あまりに対象に近づきすぎては身動きがとれなくなってしまうし、離れすぎると影響力が及ばない。自分にも周囲にも適切な距離があるのだ。

高校時代の私はこう考えた。高校の部活動では、どうしても監督・コーチ・先生と部員との間に一種の対立構造が生じる。監督側は厳しく練習をさせたい。でも、部員はできることなら楽をしたい。キャプテンはいうなればその中間である。このとき、完全に監督側についてしまえば、当然、部員は「キャプテンだからって何言ってんだ！」と思うだろう。そうなれば、監督およびキャプテンと部員との間に完全な対立構造ができあがってしまう。それを避けるためには、キャプテンである自分が間に入って、監督と選手との距離感を調整することが大切なのである。

そうすることで、チームのムードがよくなる。周りの人間を活かすことができるし、自分を活かすことにもなる。つまり、チームとしてもっとも力を発揮できる状況が整うのだ。

振り返ると、私は小学生くらいのときからそんな位置をいつも探してきた気がする。「この人にはこれを言ってはいけない」とか「この人はこう言ったら喜んでがんばってくれる」という判断を、さまざまな人との出会いを通じて学んできた。もちろん、失敗したことは何度もある。だが、もっともいい間合いをつかむ感覚は、経験を積み、失敗を繰り返していく中で身につけるしかない。初めから失敗を怖がっていては、絶対にその位置に立つことはできないのだ。

◉自分と周りを活かす立ち位置

そこで話は、リーダーの「立ち位置」という問題になる。

二〇〇六年のシーズンから東京ヤクルト・スワローズのプレーイング・マネージャーに就任した古田敦也選手が、就任決定後の初練習で「自分の居場所がわからずにうろうろしていた」という話を聞いた。現在、神戸製鋼ラグビー部の監督を務めている増保輝則も、監督になった当初は選手との距離感がわからず、とても苦労したと私に語ったことがある。

選手から監督になってすぐの頃は、一線を画すためにあえて選手と距離をおいたり、あるいは一体感を持たせようと考えるのか、逆に必要以上に近づきすぎたりしがちである。いわば平社員が管理職になったようなものだから、「監督」の立場を変に意識しすぎてしまうのだ。結果、選手との関係がギクシャクしたものになってしまい、たがいに居心地が悪く感じられ、組織として力を発揮できなくなってしまう。これは、新しい上司を迎えたときの会社などでもよく見られるケースではないかと思う。

だが、それはしかたのない面もある。選手や平社員だった頃は、いわば「群れ」の中にいたわけである。周囲の人間に対しても「当事者」ならではの求心力を持ちえた。たとえば、きつい練習をやっているときに「これくらいできなくて、どうするんだ!」と叱咤してもかまわなかった。現実に自分も同じ量をこなしているのだから、説得力があったのである。

けれども、監督や管理職になるということは、「群れ」から出ることである。うまくチームをまとめてひとつの方向に向かわせなければならない。それまでと同じポジションではない。「このくらいできなくて、どうするんだ！」と以前と同じように叱咤しても、今度は自分はやっていない。となれば、言葉のかけ方や立ち居振る舞いを変えざるをえないわけだが、とはいえ、それにふさわしい距離感など簡単につかめるはずもないのである。

ラグビー日本代表の監督になったときの私もやはり自分の「立ち位置」がつかめず、とても苦労した。監督になったばかりの頃の私は、今から考えればやや遠くに立ちすぎていたと思う。そのため、どうも私の言葉がうまく選手に伝わっていないように感じた。自分でもしっくりこなかった。

それはどうしてなのだろうと考えてみた。すると、自分が立っている場所と話している言葉の質の間にギャップがあることに気がついたのである。

そこで私は、リーダーとしての自分の言葉が、相手にもっともよく響く位置を探すことにし、少しずつ選手の側に近寄っていった。そうしていく中で、ようやく心地よい距離感をつかむことができたのである。それはおそらく、選手にとっても、もっとも心地よい距離感だったと思う。

◉情熱家は遠く、理論家は近く

結論をいえば、自分の立ち位置は自分で探すしかない。もちろん、すぐにはうまくいかないだろう。心地よさを優先して、選手や部下と「なあなあ」の関係になってはいけないし、逆にいきなり突き放すのもおたがいに気まずい雰囲気になるかもしれない。加えて最適な場所はその人のキャラクターによって違うはずだ。私の場合は自分の言葉がいちばん浸透する位置に距離を合わせたが、逆に距離に合わせて言葉を変えていく考え方もある。

だからこそ、どこに立てば自分の力がもっとも効果的に発揮されるのか、近寄ったり、遠ざかったりしながら歩き回り、試行錯誤しつつ、自分のいちばん立ち心地のいいところを自分なりに探っていくしかないのである。

そうやって自分でつかんでいくしかないのだが、これだけはいえる。それは、自分を理論家だと考える人間は、自分が思う間合いより部下に近づいたほうがいい。情熱家だと自認している人間は、より距離をおいたほうがいいということである。

監督や指導者には、組織全体を広く客観的に見渡しつつも、選手や部下に「熱」を感じさせることが必要である。ということは、全体を視野に入れることができ、かつ熱を伝えられる場所がもっともよい立ち位置ということになる。

ところが、理論家は組織全体を見渡せる視野は確保しているが、そのぶん立ち位置が遠すぎて熱が伝わらない場合が多い。逆に情熱家は往々にして近づきすぎて、全体を見て客観的に判断を下すことが難しくなりがちだ。その意味で、視野を広く持てるタイプの人は熱を伝えられるところまで近づいたほうがいいし、熱い情熱をほとばしらせている人は全体を見られる程度まで距離をとったほうがいいと思う。

つまり、その人に不足している部分を距離で補うわけだ。もちろん、熱の足りない人は熱を持つよう、視野が狭い人はもっと広く視野を持つよう、それぞれ意識的に自分を変えていく努力もすべきであることはいうまでもない。

ただ、気をつけなければいけないのは、心地よい場所が見つかったからといって、それは必ずしも「定位置」ではないということだ。チームや組織が変化すれば、指導者の立つべき位置も当然変わってくる。組織が成熟してくれば、もっと距離をおいて見守ったほうが効果的かもしれないし、世代交代があって若手が中心になったときなどは、熱を感じさせるためにも近寄ったほうがいいかもしれない。

要は、そのときどきの組織の状態や変化を敏感に察し、つねに自分の力がもっとも効果的に活かされ、かつ周囲の人間をも活かせる立ち位置を探すことが大切なのである。それなくしては、選手や部下を育てることはできないし、組織もうまく機能しないと思っている。

◉自分からもっとも遠い人間に向かって話す

だから、ミーティングなどで話す場合も、自分の言葉を効果的に伝えるために、つねに相手との距離を意識する必要がある。

代表監督時代、私は自分の体験談などを時折り交えることがよくあった。そうすることで、選手とこちらとの距離が縮まり、選手は親近感を持つようになる。ミーティングが終わったときの距離感が、最初に選手が感じていたより近くなっていれば、選手には「有意義なミーティングだった」という印象が残るはずである。そうなれば、選手との間に信頼感が生まれる。逆に最初の距離感より離れてしまったら、「得るものはなかったな」と感じてしまうだろう。

とはいえ、いつでも選手のほうに歩み寄ってしまってはかえって逆効果になる。自分の言葉に重みがなくなり、選手の緊張感も薄れてしまう。相手の状態や雰囲気を敏感に察知しながら、最大の効果を上げられるよう、距離を遠ざけたり縮めたりしていくことが重要なのである。

選手全員に話をする際、もうひとつ私が気をつけていたのが「もっとも遠くにいる人間」に向かって話すことだった。物理的な距離はもちろん、心情的にも私から遠いところにいる選手に焦点を合わせて話をするのである。いちばん遠くにいる人間の関心を惹《ひ》くような話をしていくと、その人間がしだいに興味を持つようになっていくのを実感できる。そうなれば、彼よりもっと近い位置にいる人間はもっと興味を感じているに違いない。話しやすいからと、自分のことを理解してくれる人間に話しかけてしまう人が多いが、それでは全員に言葉を届かせることはできないだろう。

もちろん、どんな言葉を使うかということにも気を配らなければならない。私の場合は、私のイメージが明確に伝わるシンプルな表現を使うようにした。それには指導者が多くの言葉を持っていることが必要であるのはいうまでもない。

◉自分の言葉を届かせるには「反射神経」が大切だ

自分の言葉を相手に伝えるには、話し方も大きく影響する。

私は中学生のときから社会人にいたるまで、ずっとラグビー部のリーダー役を務めていたこともあって、人前で話す機会が多かった。その経験からいえるのは、自分の言葉を相手に届かせるためには、「反射神経」が大きな意味を持つということである。

私のいう「反射神経」とは、的確なロジックと言葉を瞬時に選べるリアクション能力のことだ。

前にも述べたが、私は講演をするとき、たとえテーマが決まっていたとしても、あらかじめ何を話すか細部まで決めないでおく。ミーティングのときなどに、言うべきことをまとめたメモを用意している人をよく見かけるが、そうしたこともめったにしない。というのも、人と話すときには反射神経が何よりも大切だと考えているからだ。話すという行為は、反射神経そのものではないかと、とくに最近はそう思っている。

考えてみると、自分で「今日はいい話ができたな」と実感できたときは、いうなれば感情がほとばしったときなのだ。自分自身が熱くなって、次から次へと言いたいことが出てきたときは、自分でもうまくいったなと思うし、相手の反応もいいのである。「これを言いたい」という強い気持ちが湧き上がったときには、相手の心を打つような話ができたという自信がある。つまり、そのときどきの人や場の雰囲気を察し、あとは反射神経にまかせて話をしていくほうが、前もって準備したものを読み上げるよりもはるかに相手に届きやすいのである。

逆に、「これを言わなければいけない」と思って話すべきことを用意したときは、あまりいい話ができたという経験はない。「今日はこれを言ってやろう」と思って、その言葉を発するタイミングを探しているときが、読者のみなさんにもあると思う。たしかにタイミングがうまくはまれば大きな効果は得られるだろう。だが、そういうときは往々にしてそのタイミングを探すことにばかり気持ちがいってしまい、肝心なことを言い逃したり、それを言わんがために話の流れを無視してしまったりするようなことはないだろうか。それではたんなる自己満足でしかない。ミーティングなど会話が成立するときはもちろん、たとえ講演のように一方的に話すようなケースでも、話には流れがあるし、相手の反応をうかがいながら進めていかなければうまくいくものではない。

そもそも、言いたいことがないのならしゃべらないほうがいいとさえ、今は思う。言いたくないことを聞かされるのは退屈だし、時間の無駄だ。会議などでは自分の存在感を示すために「何か発言をしなければいけない」という強迫観念にかられる人もいるようだが、言うべきことがないのなら無理に発言する必要はないと私は思う。「今日はこれを言おう」と思っていたけれども、「やっぱり言わないほうがいい」と感じてストップするのも反射神経のなせる業《わざ》である。その意味でも、効果的な話し方をするためには、反射神経を鍛えたほうがいいと私は思うのである。

◉共鳴させる力

今まで述べてきたように、リーダーは孤立を恐れてはならない。だが、組織としての目標を共有させ、個々を連帯させることは絶対に必要だ。

「ユニクロ」として知られるファーストリテイリングの社長だった玉塚元一は慶応大学のラグビー部出身で、私とは大学選手権の決勝でしのぎを削った仲である。その玉塚の部下だった人間が、私にこう語ったことがあった。

「玉塚さんは、自分の目標をあたかも私の目標のように言うんですよ」

つまり、自分が掲げた目標なのに、それはおまえの目標なんだと相手に思い込ませてしまうというのである。

「『さあ、みんなでがんばろう』って言われて、『よし』と思ってやるんだけど、よく考えたら、『これ玉塚さんの仕事じゃん』て……。ごまかされるんですよ」

そう言って、その部下は笑っていた。

それを聞いて「なるほどな」と思った。私にも思い当たる部分があったからである。たとえば、リーダーが「日本一が目標」と明言したとする。だが、リーダーだけが思っているうちは、実現は不可能である。言われたほうも「日本一を目指すんだ」と思わなければ、つまりリーダーとフォロワーの目標が一致しなければ、達成することはできない。

逆にいえば、リーダーには「洗脳する力」も必要といえる。「洗脳」という言葉がよくないなら、「共鳴させる力」と言い換えてもいいだろう。

個人個人が持っている能力など、たかが知れている。ラグビーではいくらひとりの選手が図抜けた力を持っていたとしても、一五人が一致団結した相手には絶対に勝てないのだ。リーダーだけが抜群のパフォーマンスを見せればそれですむというものでもない。だからこそチームスポーツはおもしろいといえるのだが、そこで大切になるのは、個人の力をいかにしてひとつの方向に集約させるかである。ひとりひとりの力はそれほど大きくなくても、それが集約されれば大きな力となる。ラグビーでいえば、一＋一＋一……が一五以上になるわけだ。そして、そのためにはリーダーの「人の力を集める力」、すなわち先ほど述べた「人を共鳴させる力」が大きくモノをいうのである。玉塚のように、掲げた目標を、言われたほうに自分の目標として受け止めさせることができるかが大事になるのだ。

それでは、どうすれば「共鳴させる」ことができるのか。私はやはり、「本人の思い」が何よりも重要だと考える。つまり、目標が「日本一」なら、そのリーダーが「ほんとうにそうなりたいと思っている」かどうか。そこが肝心だと思う。本人が心から願わないことを、他人が自分の願いとして受け止めるわけがない。本人が心底思っているからこそ、伝わるのである。

そのうえで目標に崇高な夢が加えられればなおいい。たとえば「おれたちが日本一になったら、日本が変わる」というような意味づけがなされれば、同じ「日本一」という目標でも付加価値がつく。そうすれば、ほかの人間にも「参画しよう」という意欲が湧いてくるはずだ。

ただし、だからといってその付加価値が嘘であってはいけない。共鳴させようとして無理やりつけ加えたテーマでは、やはり他人の意欲を喚起することはできないのである。

◉目標に付加価値をつける

それでは現実に日本一になってしまったらどうするか。つまり、これ以上ないという目標を達成してしまったら、次はどこに向かっていけばいいのかという問題である。

二〇〇五年、Ｊリーグ三連覇を狙いながら果たせなかった横浜Ｆ・マリノスの岡田武史前監督も以前、こう語っていた。

「ずっと同じ選手、同じ監督でやっていると、チームは必ず停滞する。そうならないため、いろいろ工夫するのだが、同じ選手を前にすると、彼らを刺激するような新しいこと、驚かせることが言えなくなるんだよ……」

私とて同じだった。私は現役時代に神戸製鋼で日本選手権七連覇を達成したのだが、その間、つねに私の頭を悩ませたのはやはり、どこに目標を置くかということだった。当時の神戸製鋼は監督制を廃止していたから、キャプテンがチームの目標を設定する役割を担《にな》っていたのである。

語弊はあるが、人間は何かをしようとするとき、「損得の計算」をするのが常かもしれない。目標を達成したときに得られる価値や意義と、そのために被る犠牲や苦痛を秤にかけて葛藤するわけだ。そして、目標にそれだけの価値や意義があると思ったら、少々のことは犠牲にしてもいいと考える。「日本一」にはそうするだけの価値がある。だから、その目標を達成するまではそれなりの代償を支払ってもかまわないという覚悟が、当時の神戸の選手にはできていた。だからその目標に向かってまっしぐらに進むことができた。

だが、現実にその目標を達成してしまった。もはやそれに勝る目標はない。

このとき、私たちは新たな目標により崇高な夢を加えた。

「日本のラグビーを世界に通用するラグビーに変えてやろうじゃないか！」

「日本一」という目標に、新たな「価値」がつけ加わった。

実際に目指すものは今年も「日本一」である。しかし、それを達成してしまった今では、同じ目標を掲げても選手のモチベーションは維持できない。だからこそ私は、そこに「日本のラグビーを世界に通用するラグビーに変えていく」という意義を付加したのである。

新戦力を加えたり、新しい戦術を導入したりしながら選手に刺激を与え続けると同時に、毎年「日本一」という目標に新たな価値をつけ加えていった。

そうしていくと、目標がどんどん崇高なものになっていく。

「勝ち続けることが、自分にとってはもちろん、日本ラグビー全体にとっても大きな意味があるものになる」――選手たちはそう認識し、使命感を感じたはずだ。だからこそ、「そのためにはもっと自分を向上させよう」と考えることができた。

たしかに当時の神戸は戦力に恵まれていた。だが、いくら優秀な選手を揃えようとも、そうした使命感がなければ、七年間も勝ち続けることは絶対に不可能だったと断言できる。

ずっと同じ目標のために努力し続けることなど、そうそうできるものではない。組織や個人のモチベーションを維持し、高めていくためには、つねに適切な目標を設定し、かつそこに「もっとがんばりたい」と思えるような付加価値を加えていくことが重要である。そして、それはリーダーに欠かせないひとつの「能力」であり、「技術」でもある。

◉リーダーの仕事は内ではなく外と闘うこと

リーダーがキャパシティを広く、深く持ち、部下のよい部分をうまく引き出してやれば、部下には自信と主体性が生まれ、同時に自分の存在価値を感じられるようにもなる。言い換えれば、自分と組織が一体化し、その組織に対する内発的な忠誠心が高まっていくわけだ。

そうなれば、リーダーは部下を細かく管理する必要が格段に減る。管理などしなくても、組織が目標に向かって「自動的」に動いていくからである。

どうも日本では、「マネジメント」とは「管理」することだと捉えられているようだ。管理能力が高いほど、マネジメント能力に優れているとの評価が下される傾向があるが、リーダーの立場にある人間は、フォロワーの管理にはできるかぎり力を使わないほうがいい。なぜなら、リーダーの本来の仕事とは、組織の「外」、すなわち競争相手と闘うことであるからだ。「内」を管理するために時間と労力を費やしているようでは、「外部」と対決するための力が削られてしまう。

にもかかわらず、多くの日本の組織では、リーダーは内部との闘い――部下や選手を管理したり、コンセンサスをとったりということ――にばかり力と時間を使わざるをえない状況に置かれている。そうすることがリーダーの役割だとさえ、認識されているようだ。だから組織自体が収縮し、パワーを失ってしまうのである。大げさかもしれないが、それが現在の日本の弱体化を招いている一因になっている気が私にはするのである。

わかりやすい例をあげよう。スポーツの日本代表チームを編成するときのことを思い浮かべてほしい。たとえば野球。プロ野球の各チームが選手を出すことを渋ったため、オリンピックでプロの参加が認められたときに日本は代表チームを編成するのに手間取った。二〇〇六年に開催されたＷＢＣのときでさえ、球団側の事情か選手の意志かはわからないが、出場を辞退する選手が続出した。私がラグビー日本代表を率いていたときも、当初は選手の選抜にはてこずった経緯がある。

そうなると、監督なりコーチなりは、本来ならばすべての力を国外の敵に向けてしかるべきなのに、まずは国内のコンセンサスをとらなければならなくなる。これでは本当の敵に勝てるわけがない。外に向けるべき時間と力がいたずらに消耗してしまうのだから……。

すばらしい各界の企業家やリーダーの方々を見ていると、誤解を恐れずに言えば、そうした「日本的な管理能力」には固執していない。彼らは外部と積極的に闘っている。なぜそれができるかといえば、彼らの部下の内発的モチベーションが高く、主体的にどんどん仕事に取り組んでいくからである。組織が「自動的」に動いていくわけだ。だから管理する力が少なくてすむ。そして、そうした組織は、現実によい成績をあげている。

そもそも「人間は管理されればされるほど意欲が薄れるものだ」と私は思っている。腕立て伏せを強制的に一〇回やらせるとする。やらされるほうはやりたくない。だから当然、手を抜こうとする。すると、ずっと見張っていなければいけない。「管理」し続けなければならない。だが、管理が強まれば強まるほど、「サボる技術」が上がるし、巧妙になる。そうなればますます管理が必要になる。不毛な循環を招いてしまうのである。

そうならないためにも、リーダーは「キャパシティ」を広く持たなければならない。もっと言えば、「キャパシティ」こそが、これからのリーダーの価値を測るキーワードだと思う。

そして、その「キャパシティ」は、リーダー自らが自分の弱さと向き合い、葛藤してこそ養われるものであることは、前に書いたとおりである。そうした経験を持つリーダーは、部下や選手の気持ちが理解できるし、したがって個々に応じた対処の仕方もわかる。

今、あなたが仮にリーダーという立場にいて、なかなか思うようにならないさまざまな葛藤を抱え、リーダーとしての自信を喪失しかかっているとしたら、それは決して否定するべきものではなく、より優れたリーダーになるためのステップなのだと考えてほしい。

第四章

強い組織は成熟した個人の集まりから生まれる

◉「パズル型」から「積み木型」のチームワークへ

「チームワーク」という言葉がある。私は「ワーク」という言い方が大嫌いで、「チームプレー」と呼びたいのだが、それはともかく、このチームワークは日本人の得意とするところだとずっと考えられてきた。

しかし、それははたして本当なのだろうかと、私自身はずっと疑問に感じていた。「協調性」や「画一的」、「同一性」といったものを「チームワークのよさ」と言い換えていただけではなかったのか、と——。

私にいわせれば、日本人のいうチームワークとは「パズル」のようなものである。すなわち、一定のフレームがあって、その中にひとつひとつのパーツ＝個人を隙間なく当てはめていく。適合しないパーツは削って型に合わせるか、捨ててしまう。そこではみんなが同じ形になることを強制され、突出することは許されない。そして、そうすることが日本の組織においては理想とされていた。

たしかに、かつてはそれでもよかったのである。欧米諸国に較べ、日本が安い労働力を豊富に提供できた高度成長期には、「パズル型」の日本的チームワークは均一かつ一定の品質を持つ製品を安定供給するのに大いに貢献したと私も思う。

だがしかし、これまでのパズル型のチームワークによってオリジナリティのある技術をもって新しい製品を生み出せるかといえば、疑問であるといわざるをえない。全員が七〇点では平均も七〇点になってしまうのだから、それ以上のものは生み出せないのである。

組織やチームのおもしろさとすばらしさは、個人ではできないことでも、全員の力を集約させれば実現できることにあると私は思っている。そして、それができるかできないかは、まさしくチームワークで決まるといっていい。では、これからの日本が目指すべきチームワークとはどのようなものなのだろうか。

それは、「積み木型」チームワークとも呼ぶべきものである。いろいろなパーツを矯《た》めることなく、それぞれの形を残しながら、多少の出っ張りは気にせずに積み上げていくのだ。つまり、ある部分では三〇点しか取れなくても、ある部分で九〇点取れればかまわない。そういう人材を集めようという考え方である。

したがって、バランスは決していいとはいえない。当初想定していたものとは違うものができあがるかもしれない。しかし、そのぶん、とてつもなく斬新なものが生まれる可能性もあるわけだ。少なくとも、出っ張りを削ってしまっては、もったいないのである。

◉「チームスポーツの個人化」が不足している日本

話はやや飛ぶが、二〇〇四年のアテネ五輪で、日本は金メダル一六個を含む三七個のメダルを獲得した。しかし、その内訳を見ると、水泳や柔道、女子レスリングといった個人競技が華々しい活躍を見せた一方で、団体競技は軒並み低調な成績に終わっている。

これはなぜなのだろうか。じつは私はこの理由の中に、これからの日本における「組織」を考えるうえでの重要なヒントがひそんでいるのではないかと思っている。

結論からいえば、個人競技に勝利をもたらした背景には「個人競技のチーム化」があり、団体競技の不振は「チームスポーツの個人化」が不充分だったことが大きいのではないか。本書の冒頭で私は、サッカーワールドカップにおける日本代表が予想以上に精彩を欠いた理由のひとつは、「個人の成熟が足りなかった」ことだと述べたが、それと同じことだといっていい。

説明が必要だろう。スポーツの世界でも、かつての日本はパズル型のチームワークを志向していた。型をつくり、その中で一糸乱れぬ動きをすることで、体格差や体力差を克服し、これに日本ならではの独創的な戦術を加味することで世界と戦おうと考えた。そして、実際にいくつかの競技は一定の成果を出すことができた。ところが、情報化が進んだ現在では、それだけでは勝てなくなってしまったのである。いくら独創的な戦術を編み出そうとも、それが披露された瞬間に全世界に伝わり、対策を立てられてしまうし、プレーの技術自体も高度化しているからである。

そこで最近は、日本においても従来のように型の中に選手の個性を押し込めるのではなく、選手それぞれが最大限のパフォーマンスを発揮することを前提としてチームのプレースタイルを組み立てるようになってきた。これが私のいう「チームスポーツの個人化」である。私がラグビー日本代表を指揮していたときに目指したチームはそれだったし、ジーコが志向したのも、こういう形だったのだと思う。

とはいえ、個性尊重を謳えば、つまり出っ張りを削るのをやめれば、当然隙間ができる。そして、この隙間を埋め切れなければまとまりを欠き、チーム全体として力を出し切れなくなってしまうのだ。要するに、あまりに急激かつ突然に積み木型にシフトさせてしまったがために「個人化」が不充分であったことが、オリンピックにおける日本の団体競技の多くやワールドカップのサッカー日本代表が思うような結果を出せなかった一因ではないかと私は感じている。そしてこのことは、スポーツだけでなく、すべての日本の組織が直面しつつある問題であると思う。ある意味で大きな過渡期に入っているのではないだろうか。

◉出っ張りを埋める「アクティブコミットメント」

それでは、その隙間を埋めるものとは何か。私流の表現を使えば、それは「アクティブコミットメント」ということになる。「自発的連係」とでもいおうか。すなわち、チームにコミットしようとする意欲、チームとしてまとまろうとする気持ちのことである。それぞれのアクティブコミットメントによって、隙間を満たすわけである。

ただし、ここが肝心なのだが、それは強制されたのでは意味がない。個々の内側から滲《にじ》み出るものでなければならないのだ。このアクティブコミットメントをいかにして個々から出させるか。それが、その組織が発展していくためのカギになると私は思う。そして、アクティブコミットメントを喚起するために何より必要なのが、私が「内発的モチベーション」と呼んでいるものであり、もっといえば「強い個」として確立することにほかならない。

ところが、われわれ日本人は個として成熟する機会に恵まれなかった。つまり、個人としてどうあるべきかよりも、組織として、チームとしてどうすべきかということが日本では優先されてきたあまり、個人として自ら考え、判断し、行動するという習慣が身につかなかったのである。

実際、「先進国に追いつけ追い越せ」というスローガンを掲げ、追いかけている間はそれでかまわなかった。しかし、そうしているうちに気がついてみると先進国の仲間入りをしていた。それどころか、その中でもトップの位置を占めるようになってしまった。そうなると、次なるモチベーションの糧となる目標が必要になる。ところが、それがなかなか見出せなかった。目標を与えられてなかば強制されて動いていたから、自ら探すことが難しかったのである。そして、どうしていいのかわからないまま、停滞感や閉塞感に苛まれているのが今の日本なのではないだろうか。

だからといって、もう一度「負のインセンティブ」を与えようとしても、これほど世の中が豊かになってしまった以上、大きな効果は期待できない。これからは「正なるインセンティブ」にシフトしていかなければならないのである。つまり、動機づけを外圧に求めるのではなく、自らが価値のあることに対して自発的に動くこと、すなわち「強い個」であることが必要なのだ。

それでは、個として成熟し切れていない、「強い個」になり切れていない日本人から、いかにしてアクティブコミットメントを湧き上がらせればよいのだろうか。

そのためのヒントとなるのが、先ほど少し触れた「個人競技のチーム化」だと思う。その代表例として思い浮かべていただきたいのが、水泳の北島康介選手を支えた「チーム北島」だ。

これは北島選手をサポートすべく、コーチ以下、映像分析、コンディショニング、肉体改造などさまざまな分野の専門家が集まった集団で、それぞれは別に本職を持っているケースが多く、あくまでも「北島に金メダルを獲らせる」という共通の目的のもと、なかばボランティア的にできあがったチームである。

そこでは各スタッフに明確な役割と存在意義があり、金メダルという目標に向かって、結果的にチームとしてひとつになっていた。すなわち、スタッフ全員が「アクティブコミットメント」を滲み出させていたのである。アテネで復活を遂げた柔道や体操においても同じようなシステム、すなわち「個人競技のチーム化」が進んでいた。だからこそ、すばらしい成果を残すことができたのだ。

ここにこそ、日本のあらゆる組織がこれから向かうべき方向性のヒントがあると思うのだ。たとえ一見バラバラなように見えても、各自が自分の役割と存在価値を認識し、全員が同じベクトルに向いていれば、仮に隙間ができたとしてもみんなが自発的にアクティブコミットメントを出し、埋め合うようになるはずである。いうなれば、組織があたかもひとつの生命体として行動するわけで、その組織は非常に強靱なものとなるだろう。

◉個人の目的を許容し、組織の目標を共有する

そもそも私は、組織内の人間の目標を無理やり一致させる必要はないと思っている。要は、それぞれの目標を達成することが、結果として組織としての目標達成につながればいいのだ。そのために大切なのは、組織の目標と個人の目的に接点を持たせ、双方が最大限の利益を得られるような柔軟性を持った仕組みをつくることである。

ラグビーでいえば、チームの目標はもちろん「勝つこと」である。しかし、チームを構成する選手には、それとは別に、それぞれの目的があるかもしれない。「自分のスキルを向上させたい」「日本代表に入るため」「プロ契約をしてもらうため」「ただ、好きだから」というように……。

こうした個人の目的を無視し、ただ「勝つ」というチームの目標だけのためにプレーを

強要してしまっては、チームから活力が失われてしまうだろう。「滅私奉公」という言葉があるように、これまで日本では「組織のために自分を殺す」ことが美徳とされてきた。したがって、自分、つまり「私」を活かすことが、組織すなわち「公」を活かすことにつながる考え方が根づかなかったように思う。

個人の個性や思考、判断を無視して、いわば歯車のひとつとして使えば、短期的には成果が上がるのは確かである。だがしかし、それでは個人の意欲は絶対に低下する。強制力が強まれば強まるほど、内発的モチベーションは下がる。長いスパンで考えれば、むしろマイナスのほうが大きいのである。

たとえば、職場を選ぶ際に「やりたいことをできるかどうか」「自分の資質や可能性を活かせるかどうか」を第一義に考えるのは当然であるが、最近の若い人の中には「仕事がおもしろくないのなら、嫌な仕事をするくらいなら、さっさと別の企業に転職したほうがいい」と考える人間が増えているという。自分に関係のあること以外にはまったく興味を示さず、会社全体としての目標達成よりも個人の目的や利益を優先させる人間も少なくないようだ。

こうした傾向について「最近の若い奴は我慢が足りない」とか「自己中心的だ」と結論

づけてしまうのは簡単だ。

だが、私はむしろこう考える――会社に対する「価値観」やそこに所属するための「目的」が多様化しているのだと。つまり、かつてのように組織の中で目標が一元化されえなくなったのが「今」という時代なのである。これはよい悪いとか、正しいか正しくないかという以前に、現実なのだ。

であるならば、そうした状況を嘆いてもしかたがない。むしろ組織にとって重要なのは、彼らをいかに活かしていくかということだろう。「そんな考え方は通用しない」とか「おれの言うことが正しい」と、指導者が旧来の価値観を押しつけたりしていては、若い人たちはついてこない。離れていくだけである。結果として組織の力は低下してしまう。

それならば、まずはそれぞれの目的を「許容」してはどうか。そのうえで、「共有」すべきはチームの目標であると全員の意志を統一させ、各自の役割を責任を持って果たさせるのである。そうすれば、個人のモチベーションを下げることなく、チームとしての目標達成につながっていくはずである。それは、これからの組織運営に欠かせないことだと思う。

◉組織には「異質」を取り入れる許容力が必要だ

先に私は、「足は速いけれどタックルができない選手」を積極的に試合に起用したと述べた。その理由の第一は、タックルができないという短所を矯正するより、足が速いというその選手の長所を伸ばすほうが本人の内発的モチベーションを誘発する近道になると考えたからであるが、じつはそれに加えてもうひとつの理由があった。

タックルが不得意ならばその役割はタックルが得意なほかの選手に補ってもらって、その選手には走るという部分で貢献してもらうほうが、本人はもとより、チームにとってもはるかに有益だと思ったのである。

これは会社においてもいえることではないだろうか。全員がすべてにおいて一〇〇点をマークできる組織などありえない。それぞれよい部分と悪い部分を併せ持っているのがふつうだろう。「英語は九〇点取れるけれども数学は三〇点しか取れない」という人間がいたとしよう。これまでの日本の組織は、「英語は七〇点でもいいから、数学を五〇点にしろ」と命じてしまっていた。つまり、個人の中でバランスをとろうとするのである。たしかに、そうすれば全体の平均点は上がるかもしれない。

しかし、そういう人間が集まった集団が、はたして組織として大きな力を発揮できるかといえば大いに疑問である。そうやってバランスがとれた個人を育成するよりも、チーム＝組織全体でバランスをとるほうが、つまりおたがいが自分の長所によってほかの人間の短所を補うほうがはるかに効果的だし、結果として生まれるものは個性的で大きな力を持つと私は思う。

たしかに、ある部分では九〇点取れるが、あることに対してはまったく役に立たないというような人間は、パズル型のチームワークでは非常に使い勝手が悪かったのも事実である。リスクのほうが大きすぎるし、日本人の好きな「和」を乱す恐れもあった。

けれどもそうした人間は、平均七〇点の人間からは生まれえない大きな利益をもたらしてくれる可能性も持っている。したがって、これからの組織には、こうしたいわば、いびつであったり、異質であったりするような人間を初めから拒否するのではなく、彼らのアクティブコミットメントを高め、うまく戦力化していくことが求められると思う。

◉人の配置とは「数式」である

いびつであったり、異質であったりする人間を戦力化するには、そうした人間をいかに配置するかが重要だ。そのカギは、こうした人材をいかに組み合わせるかということにあると私は思っている。下手に組み合わせるとマイナスのほうが目立つ結果となる恐れもあるが、うまくすれば相乗的にプラスの効果をもたらすからだ。

そのために私の場合はまず、それぞれの人間について「得意・不得意はどんなことなのか」を観察するようにしている。そして「この選手はこれができる」とわかったら、その部分を活かす方法を探すわけだ。まず「できる部分」から考えていくのである。

ラグビーを例にとれば、選手としてレギュラーになる力はないけれども、ゲームを分析させるとすばらしい能力を見せる選手がいたとする。私なら、そんな選手にはゲーム分析の専門家、アナリストという役割を与える。選手の能力を見る力があると思えれば、スカウティングの担当にする。もちろん、話し合っておたがいが納得することが前提であるが、要は本人が長所を最大限に発揮できる場を与えるわけだ。

ひとつの例をあげよう。神戸製鋼に中山光行という選手がいる。伏見工高出身で、私の後輩にあたるが、彼は当初スタンドオフとして入社してきた。中山は、スタンドオフに必要不可欠な状況判断やゲームの流れを読む力に優れていた。情報を集め、分析する能力もすばらしかった。

だが、いかんせん、社会人のレベルでそれを活かせるだけの運動能力に恵まれていなかったのである。相手防御の隙をいち早く見抜き、あそこを突けば抜けるとわかっているのに、スピードが足りないため、その判断力を活かすことができなかった。したがって、このまま選手を続けていっても、レギュラーの座をつかむことは難しいのが現実だった。

しかし、彼の能力、とりわけゲームを的確に分析する能力をこのまま埋もれさせてしまうのは非常に惜しいことだと私は思っていた。そこで、代表監督就任と同時に私は、情報収集・分析を担当するテクニカル部門の一員に中山を加えることにした。期待どおり、彼は抜群の力を発揮してくれた。的確な分析に加えて、彼はそれをわかりやすく選手に提示・説明する能力にも長けていた。プレゼンテーションがうまいのである。試合前の選手のモチベーションを上げるべく、あらかじめ練習やゲームのベストパフォーマンスを集めたビデオを編集しておき、試合会場に着く直前のバスの中で選手に見せるというアイデアも生み出した。

結果、彼はラグビー日本代表に大きな貢献を果たしただけでなく、ＪＯＣ（日本オリンピック委員会）内に発足した「球技系サポートプロジェクト」のメンバーにも迎えられることになった。これは、「日本の球技系スポーツが抱えている諸問題は共通しているのではないか」という提案から始まったもので、各競技のテクニカル担当者が集まり、競技間の垣根を取り払ってともに情報を交換し、考え、改善していこうというプロジェクトだった。この中で中山が提示した分析方法は、ほかの競技においても手本となっているのである。そして彼は今、現在のラグビー日本代表チームでコーチとして重要な役割を果たしている。

中山が選手としての能力しか評価してもらえなかったら、おそらく彼はそうした自分の能力をラグビーにおいて発揮できるようにはならなかったと思う。できないところを見て評価するから、使い方が限定されてしまうのだ。見方を変えれば、いくらでも選択肢は広がるのである。たとえば、コーヒーカップはそれでコーヒーを飲む限りはコーヒーカップでしかないが、見方次第で別のモノを入れる「器」とも考えられるし、「オブジェ」にもなりうる。それと同じことなのだ。

その意味では、「弱みをマイナスではなく、プラスとして捉え直す」という視点も人材を見るときには非常に大切だ。ラグビーにおいて身体の小ささは「弱み」である。けれどもそれをトリッキーな動きができると捉えることができれば、「強み」になる。キックができなくても、走れてボールが追えるのなら、ポジションを変えてやればいいのである。

神戸製鋼ラグビー部のキャプテンだったとき、私はスクラムハーフだった藪木宏之をスタンドオフとして起用した。彼はそれまでスタンドオフをやったことがまったくなかった。しかもパスがうまくなかったし、キックも下手だった。これはスタンドオフとしては致命的といってもいい。

けれども、藪木にはすばらしい走力があった。三〇〇〇メートル走を行っているとき、ふつうは息が上がり走るフォームも乱れてくる。しかし、彼のフォームは乱れずバランスのよい走りをしていた。妙な固定観念にも染まっていない。「おもしろいプレーヤーになるはずだ」と私は思ったのである。はたして藪木は不動のスタンドオフとして神戸製鋼の七連覇に大きく貢献してくれた。

戦力とは持てる資源の最大活用だと私は考えている。換言すれば、それは「適材適所」ということになる。ただ、これまでの適材適所とは、「場所に人を当てはめる」という意味合いが強かったと思う。そうではなくて、「人に場所を当てはめる」という考え方も必要なのである。

だから、ある人間の能力を活かす場所や役割が現状ではどうしても見つからないという場合には、新しくつくってしまえばいいのだ。簡単な話だ。たとえば、練習でケガをしたときにある選手が抜群の応急処置をしてくれた。「ああ、この選手にはこういう能力があるんだ」と気づいたとする。だったら、メディカルサポートというポジションを視野に入れておくのだ。そうすると、その人間が自分を活かす喜びを知り、自主的に専門の知識を身につけようと思うかもしれない。そうなれば本人にとってもチームにとってもすばらしいことではないか。

こういう人間もいるかもしれない。本人の能力はきわめて高いのだが、なぜか他人から敬遠されてしまう。その人間が関わると周りの人間の士気まで落ちてしまい、組織全体にマイナスを及ぼしてしまう。さて、どうすればいいだろうか。私ならこう考える。その人間に自分の仕事だけに集中させ、そのアウトプットされたものを活用してチーム力を上げる。そしてその成果を「君のおかげでみんな喜んでいる」と伝えるのだ。

「数式」として考えればいいのである。その人間自身は大きな数値を持っている。ところが、誰かと掛け合わされるとマイナスの値しか示さない。それならその人間は掛け算に入れなければいいのである。ほかの人間同士をうまく掛け合わせて最大限の数値を出したあとで、最後にその人間の数値だけポンと足せばいいだけの話なのだ。そうすれば、全体の値ははるかに増えるはずだ。

人材の配置とは、そして適材適所とは、まさしくこの「数式」なのではないかと私は思っている。式の中にそれぞれの人間を配置して、掛け合わせたり、足したり引いたりしながら、どうすれば最大限の値が出るか考えるわけだ。それを第一に考えれば、おのずと答えは出ると思う。

藪木をスタンドオフに抜擢したのも、そうすれば私がインサイドセンターに入ることができるという理由もあった。私がより外に配置されることにより攻撃の選択肢が広がり、ゲームがダイナミックなものになると思ったからである。

◉モチベーション維持に欠かせないビジョンと環境

とはいえ、自分の能力に合致しているからといって、そのポジションが必ずしも本人の望むものとは限らない。試合に出られない選手が、アナリストに向いているからといって「はい、わかりました」と即座に納得できるのかという疑問を持たれるかもしれない。それが本人の、ひいてはチームや組織全体のモチベーション低下につながってしまうのではないかと……。

ラグビーをはじめとするチームスポーツでは、レギュラーの人数が決まっている以上、試合に出られない人間が必ず出てくるのは避けられない。同じ練習をしているのに、それでも試合に出られる人間と出られない人間がいる。選手としては試合で活躍するというのが第一の目標だから、明日から「アナリストをやれ」「トレーナーをやれ」と言われても、たしかに納得できない場合もあるだろう。嫉妬や妬み、そねみが生じることがまったくないとはいえない。

だから、まずは競争させることが絶対に必要だ。その機会は平等に与えなければならない。本人が望むところできちんと評価を下してやる態勢を整えておくべきだ。その結果、やはり力が及ばなかった。別の役割を与えるほうが本人にもチームにも有益だと思われた。ところが、それでもその選手が嫉妬したり、恨んだりしたとする。そんなとき、私はその選手に強く言う。

「もうレギュラーはあいつに決まったんだ。競争は終わったんだぞ。それなのに、おまえは妬み、あわよくば叩きのめそうと考えている。これからおまえのやるべきことは、仲間に対するサポートではないのか。それが君のチームプレーではないのか」

だいたい、レギュラーに選ばれなかったからといって、「どうしておれを選ばないのだ」と、いつまでも未練たらしく愚痴《ぐち》っている選手は、私の経験からいってもたいした選手ではない。愚痴ったからといって、状況は何も変わらない。考えるべきは、「自分には何が足りなかったのか」という問題であって、あくまで選手としてレギュラーを目指したいのならば、そのために「ここを伸ばそう」とか「ここを改善しよう」と冷静に自分を見つめ直さなければ、その選手の成長はありえない。

ただし、別の役割を与えるにせよ、選手としてやっていくにせよ、彼らのモチベーションを維持するためには、チームとしての「ビジョン」が絶対に欠かせない。そのチームが何を目指しているのか。いかなる使命や役割を持っているのか。どれだけ影響力があるのか。そして、その中で選手にいかなる役割を果たしてもらいたいのか。その役割にどれだけの意義があるのか。そういうビジョンを明確に語ってやらなければならない。そのチームに「所属することの価値」といってもいい。それがあるかないかは、選手のモチベーションにものすごく影響する。これは私の経験からもいえることである。

もうひとつ重要なのが、チームの価値とも関連するが、「環境」である。たとえば、その組織にどういうリーダーがいるとか、どのような人間が周囲にいるかということだ。チームのミッションもそのひとつであるが、要するにその環境に身を置くことがどれだけ「自分にとってプラスとなるか」である。

チームにビジョンがあり、環境がある程度満たされれば、自分が試合に出られるか出られないかは、じつはそれほど大きな意味は持たなくなる。もちろん、自分が出られないとなったら落胆はするだろうが、それによってモチベーションが著しく下がることはない。むしろ、上がる場合のほうが多いと思う。

◉控えチームが強いほどそのチームは強い

会社のような組織にはさまざまな部署があり、必ずしも全員が就きたいポジションを与えられるわけではない。中には目立たない、地味な役割を演じなければならない人もいるだろう。だが、そうした人々が「どうせおれなんか……」と腐ってしまっては、組織力としては大きなマイナスになってしまう。

ラグビーでは控え選手のチーム、いわゆるBチームが強ければ、レギュラーのAチームも強いといわれる。その反面、Bチームの力が落ちると、Aチームも確実に弱くなっていくものである。Aチームが攻撃の練習をするとき、相手を務めるのはふつうBチームである。そのとき、Bチームにそれなりの守備力がなければ練習にはならない。Aチームの攻撃すべてがうまくいってしまっては意味がないからだ。Bチームが抵抗してくるからこそ、Ａチームはさまざまな方法を考え、創意工夫する。Ｂチームはそれを防ごうとする。そうやっておたがいの力が向上していくわけだ。もちろん、ケガをさせてやろうという気持ちでは困るが、Ｂチームも「おれたちだって負けられない」との気概は持たなければならない。

そして、そのとき大切になるのが、控えチーム内のリーダーの存在である。その立場にある人間が「所詮、試合には出られないのだから、もういいや」と考えてしまう人間だったら、そのチームはそこまでだ。だが、逆に「チームが勝つためにおれたちのできることをしよう」とほかのメンバーを鼓舞できるリーダーだとしたら、そのチームは強くなる。すべてはそのリーダーの人間性にかかっているのである。

したがって、日頃からそういうリーダーを育てておく必要がある。では、どうやって育てるのか。逆説的な言い方になるが、そうしたリーダーはいわば自然発生的に生まれるものだと思っている。というより、そのチームや組織が育てるのである。先ほど「組織は生き物である」と述べたが、生き物だからこそ、何を食べて生きていけばいいのか、どういう選択や判断をすれば延命できるのかは、生命体である組織自体に自然と身についているはずのものである。換言すれば、リーダーとなるべき人間がリーダーになっていく。活力のある組織にはそういう土壌があるはずだ。

◉リーダー分業制のすすめ

また、リーダーというものは、状況によって交代してもよい。現代という社会は、驚くほど複雑かつ多様化している。そんな状況下で、はたしてひとりのリーダーがすべての選手や部下の力を引き出し、組織としてまとめていくことができるものなのだろうか。「困難」だというのが私の答えである。

そこで提唱したいのが、「リーダーの分業制」である。すなわち、リーダーをあくまでもひとつの役割と捉え、状況や局面によって、その都度リーダー役を代えてしまうのだ。

ラグビーのケースで説明しよう。あるリーダーは、こちらの攻撃が続いている場合は抜群のリーダーシップを発揮する。けれども、自陣ゴール前で防戦一方になると、声すら出なくなってしまう。反対に、あるチームのリーダーは、攻撃中はほとんど存在を感じさせないのに、チームが窮地に陥ったとたん、メンバーを鼓舞し、奮い立たせてしまう。

どちらがリーダーとして優れているかは、白黒はつけられない。どちらがいい悪いという問題でもない。メンバーの感じ方もそれぞれ違うだろう。とすれば、攻撃のときは前者のタイプが、ピンチのときは後者が前面に出ればいいだけの話である。つまり、置かれた状況や局面によってリーダーが入れ替わる。これが、私が「リーダーシップは流動的でいい」と主張する理由である。

ラグビーでは、キャプテンとゲームリーダーが異なることはごくふつうである。日頃からチーム全体をまとめるのがキャプテンならば、ゲーム中に攻撃の指揮を執るのがゲームリーダーである。チームをリードするキャプテンは必ずしもゲームをメイクする能力に優れているわけではないし、ゲームリーダーがチーム全体を鼓舞できるわけでもない。ラグビーではキャプテンは比較的フォワードの選手が多く、ゲーム全体を見渡しにくいというポジション上の問題もある。

それに、教えられたことをすぐに自分で消化する器用な人間もいれば、ひとつのことをマスターするのに時間がかかる人間もいる。だからといって、前者がリーダーとしてふさわしいかといえば、そうとは限らない。器用な人間は、往々にしてそのぶん慎重さに欠ける面があるし、不器用ながらも真摯《しんし》に物事に取り組む人間には、ほかの人間も一目置く。また、器用な人間はある局面で流れを変えたいときには有効であるが、不器用な人間は組織を瞬時に変革したり、向上させたいときには力を発揮しにくい。

とすれば、もっともすばらしいリーダーシップを発揮してくれる人間を、その状況に応じて配すればいいのである。その人間が能力を発揮できる場所や場面で起用してやればいいわけだ。すると、それぞれが足りないところをたがいに補いながら、組織としてつねに前進していくことが可能になると私は思う。

◉規律とは自然発生的に自分の内側から生まれるものである

いびつだったり異質だったりする人間を取り入れ、かつ個人の目標を許容し、多くの裁量を与える組織に、はたして規律が生まれるのかという意見があるかもしれない。なんらかの規則や規制を加えなければ、それぞれが好き勝手に行動し、結果として目標を達成することができなくなってしまうのではないかと。

規律ということで、もっとも卑近な例を出せば、「禁酒禁煙」というものがある。神戸製鋼の連覇が始まる一九八八年のことだ。十二月から、選手権期間中の約一カ月間、「禁酒」が実施された。「禁酒」を提案したのは、なんと酒豪でなる大八木淳史さんだった。これには皆驚いたが、実行してみると、生活習慣が改善され、怪我の治癒力が高まるなど思わぬ副産物が生まれ、初優勝の要因のひとつになったのだ。以来、翌年からは選手権期間中の「禁酒」は神戸製鋼の自然発生的な年末の定例行事となった。

規律というものは本来、掲げた目標により早く、より確実に到達するために必要だから存在するものだろう。目標達成の障害となるからこそ、それを律しようとするのである。だから、自分たちの目標を達成しようとすれば、おのずと「規律」は自らの中から生まれてくる。

向上していこうという意欲が強いチームに、無意味な禁止標語を与える意味があるだろうか。多くの場合、それが何のためにあるのかわからないようになっている。ただ、「規則だから守る」だけのものになってしまっているのだ。仮に規則を破った場合には罰を与えるとすれば、罰を受けないために守るという本末転倒な状況も起こりうる。そうなってしまえば、「人が見ていないから守らなくてもいい」と考えるようになるのは必然だろう。

突きつめれば、規律とは「自由」を獲得するためのものだと私は考えている。ラグビーでいえば、ボールを持っていれば自由に行動できる。したがって一刻も早くボールを奪う必要がある。そのためには強くなるしかない。強くなるためには、ある程度のことは犠牲にせざるをえない。それでも強くなって自由を獲得したいからこそ、自らを律しようとするわけだ。

ビジネスの場合も同様だ。同じマーケットでシェアを争うライバル企業に勝てば、そのマーケットにおける「自由」を獲得できる。ライバルに勝つためには効率を上げ、生産性を高めなければならない。そのために規律が必要になるのだ。

要は、チームや組織の人間がどれだけ真剣に自由を獲得したいか、目標を達成したいかである。全員がそう思えれば、おのずと規律は生まれるものだ。「これだけは守ろう」という暗黙の了解がチームの中にできていれば、あえて規則として掲げる必要などない。そして、そうした自制心がごく当たり前のものとして生まれるようになれば、その組織やチームは、より目標に近づくことになる。逆にいえば、そうならなければ「自由」を獲得することは不可能だといってもいいだろう。

◉曖昧さを残す

もうひとつ、これからの組織は「曖昧《あいまい》さ」を備えているかどうかということも大切になっていくだろう。というのは、人間という生き物は、ひたすら効率や合理性を追求するだけでは満足できるものではないからだ。ラグビーでいうなら、既存の戦術を踏襲し、突きつめていくだけでは、少しもおもしろさを感じないのである。

「曖昧」という言葉は一般的にはあまりいい意味で受け取られていないかもしれないが、「多様性」と言い換えることもできる。初めからパターンや型をつくり、それを追究していくだけでは、おもしろくないばかりか、それがはまらなかったときには破綻してしまう。

だが、そのとき曖昧さを残しておけば、たとえひとつのパターンが通用しなかったとしても、別の方策を考え、転換していくことができる。それがダメでもまた別のやり方で……というふうに。そして、それこそが真の合理性と呼べるのではないかと私は考える。「目標を達成する」ことが組織の最重点課題だとすれば、合理性というのは無駄を省いていくことでは決してなく、むしろ曖昧さを加えていくことだと思うのだ。

そのためにも個人がある程度自由に動けるスペースが組織には必要である。フレームにパーツが隙間なくはまっている状態では、曖昧さや多様性は生じえない。逆にいえば、隙間があるからこそ、人間はアクティブコミットメントでそれを埋めようとするのである。そして、それが可能になるためには、個々が「強い個」であることが前提なのはいうまでもない。

ただ、誤解してほしくないのだが、私はこれまでのいわば統制を追究するやり方をまったく否定するものではない。ある時期までは強制力は必要だし、協調性は日本人の優れた能力でもある。ただ、これまではそれがあまりに偏りすぎていたと思う。

だいたい、いきなり「積み木型」のチームワークにシフトさせたとしても、日本人には居心地がよくないはずである。欧米人ならそうやってできた少しくらいの隙間は気にしないのだが、われわれ日本人のＤＮＡは、どうやらその隙間を放っておけないようなのだ。しかし、それは日本人のよさでもあると私は思っている。

とすれば、これまでの日本人のよさは残したままで個を成熟させていく、「パズル型」のよさをある程度維持したままで、そこに「積み木型」のよさを加えていくというような、「パズル型」と「積み木型」の利点を併せ持つ組織こそが、新しい日本型チームワークのモデルといえるのではないかと思う。

まずは個人の主体性ありき。すなわち「強い個」が確立されたうえで、そこから共通の目標を達成するために組織に自らコミットしていこうという意欲と、その中でうまくやっていこうとする協調性が生まれていくのだ。それが、これからの組織が目指すべきあり方ではないかと私は感じている。なぜなら、組織がもっとも強靱になり、かつもっとも力を発揮できるのは、個々人から湧いてくる内発的モチベーションがひとつに結集したときにほかならないからである。

第五章

個人と組織の力を最大限に活かす戦略とは

◉勝負の本質を的確に把握せよ

一九九五年、第三回ラグビーワールドカップにおいて、日本代表は、オールブラックスに一四五対一七という歴史的大敗を喫した。こうしたとき、ふつうは大差がついた原因を「一〇〇点以上取られたこと」に求めてしまいがちだ。それゆえ、まず強化すべきはディフェンスだと思ってしまう。

しかし、問題の本質はそこにはないと私は考える。むしろ「一七点しか取れなかったこと」、すなわちアタックの精度が悪いことにこそ最大の敗因は求められるべきなのである。あとふたつか三つトライを取れていたなら、相手の点数は確実に半減していたはずだ。きちんと攻められなかったことのツケが「一四五対一七」という大差につながったのである。

大敗の原因は、もちろんディフェンスの弱さにもある。ただ、そこに目がいきすぎるとラグビーというゲームの本質から外れてしまうのではないか。ラグビーは得点を争う競技であり、そのための攻撃権の争奪を競うスポーツである。このことは裏を返せば、「攻めている間は守らなくてもいい」ということを意味している。そして、攻撃権を保持し続けていれば、それだけ得点する機会も増えるのだ。つまり、勝つためにはいかにして攻撃権を保持していくかがもっとも重要なポイントなのである。つまり、問題にすべきなのは「守りの精度」ではなくて「守っていること自体」なのだ。プレーの精度がよければ守っている時間も少なくてすむ。

ラグビーだけではなく、サッカー、バスケット、ホッケーなどゴール型の球技は、すべて同じである。

そのゲームの本質を見誤っては、勝つことは非常に難しくなる。だから、戦略を立てるときには、ラグビーならラグビー、野球なら野球というゲームにおける、競争相手との構図をまず認識しておくことが重要になる。これはビジネスにおける戦略立案でも同じだと思う。

どういうことか。たとえば、ラグビーは相手が単数といっていい。もちろん相手の選手は一五人いるが、相手は一チーム、すなわち単数である。しかも事前に対戦相手は決まっており、特定できる。すなわち「単数・特定」がラグビーにおける自分と相手の構図といえる。ほとんどのチームスポーツはそうだし、個人競技でも格闘技やテニスなどはこの範《はん》疇《ちゅう》に含まれるといっていいだろう。

これに対して、たとえばマラソンは競争相手はもちろん複数であり、不特定である。誰かとのマッチレースが予想される場合やマークすべき相手がいる場合でも、「こいつに勝てば必ず一位になれる」とは言い切れない。相手の調子次第で状況は変わってくるし、伏兵が出現する可能性もある。

となれば、競技によって当然、戦い方も変わってくる。マラソンのように「複数・不特定」の場合は、あくまでも自分のペースが第一になる。この距離をこのタイムで走って、ここでスパートするというように……。もちろん、ライバルがこう出てきたら自分はこうするという戦略はあるだろうが、まずは自分がベストの力を出し切ることが第一条件だ。最後はいかに自分の走りができるかということがカギになるのである。陸上や競泳なども同様。ゴルフなどはその最たるものだろう。

一方、「単数・特定」の競技では、戦う相手はあらかじめわかっている。直前になって対戦相手が変わることはよほどの事態がないかぎりありえない。となれば情報収集も含めた戦略や駆け引きが非常に大きな意味を持つことになる。相手がこう動いたらこう仕掛けるとか、相手はここが強いから、ここでの勝負は避けて、このポイントを攻めようとかいう視点が大切になってくるわけだ。「複数・不特定」の競技と違って、状況によってはこちらの調子が悪かったとしても勝つ可能性はある。たとえ一〇点しか得点できなくても、相手をそれ以下に抑えれば勝てるのだ。

そういう視点から考えていくと、ゲームの形式によって戦略の立て方や準備の仕方、情報の集め方はおのずと変わってくる。ここを見誤ると、結果は出ない。戦略立案の際は、そのゲームの本質を正しく捉えておく必要があるわけだ。

これはビジネスでも同じである。競合相手が「単数・特定」なのか、「複数・不特定」なのか。そのいずれかによって、こちらがとるべきスタンスや戦略は大きく変わってくるし、時間や人員のかけ方もまた、異なる。

●じつは神戸のペースだった三洋戦

そうしたことを理解していると、「勝つための道筋」ともいうべきものを臨機応変に考えることができる。たとえば、ラグビーのように相手が「単数・特定」のケースで考えてみよう。

この場合、こちらの勝ちを確実にすることができればいちばんいいわけだが、相手の実力がはるかに上だったとき、あるいは微妙に拮抗《きっこう》している場合には、相手の勝利の可能性をより不確実にさせることに主眼を置くという戦略も有効だ。たとえこちらがベストの状態でなくても、相手の勝利を不確実にする要素をつくりだせれば、こちらが勝つ可能性は高まる。

こういうことだ。まずこちらが勝つとすれば、ゲームがどういう展開になったケースなのかを想定する。そして、相手とこちらの実力を考えると、こちらが二〇点取ることは難しいとの結論になったとする。となれば、ロースコアの戦いに持ち込むしかない。そのためにはどこをターゲットにして、どのように進めていけばいいのか分析するわけだ。たとえ実力ははるかに向こうが上であったとしても、できるだけ食らいついて最後まで勝負がわからない状況にまで持ち込めれば、立場は逆転するはずだ。

私はまず、両チームの「得失点の和」をあらかじめ想定する。総得点が四〇点の予想なら、二〇点を先に取ったほうが圧倒的な優位に立つ。こちらは、たとえ三〇点取られるリスクはあっても二〇点を取りにいく展開を志向したほうがいい。「何がなんでも先に二〇点取れ」とハッパをかけて、そのとおりになったらそこで勝負は決まったといっても過言ではないだろう。

一九九一年一月八日、全国社会人ラグビー大会の決勝、神戸製鋼対三洋電機戦を憶えていらっしゃる方も多いと思う。「奇蹟」と呼ばれた終了間際のイアン・ウィリアムスのトライ（およびその後の細川隆弘のゴールキック）による逆転勝利で、一八対一六という僅差で神戸製鋼が三連覇を達成したゲームである。

この試合は、はたから見れば終始、三洋ペースに映っていたかもしれない。事実、三洋が押しまくり、神戸は防戦が続いた。だが、今思えば、あの試合はじつは完全に神戸のペースで進んでいたのである。

最初に先行された時点で、「三洋は強い」と感じた。「負けるかもしれない」とまったく思わなかったといえば嘘になる。

「これは簡単には点は取れないなあ……」

そう思った。おそらくチームの全員もそう感じていたに違いない。自信より不安が大きくなっていたのは事実だ。仮に実力はあっても経験のないチームだったら、そこで浮き足だってしまっていたはずだ。

われわれは、考えた。

どうすればいいのか――われわれは即座に気持ちを切り換えた。こんな状況で勝つにはどういうケースがあるか。過去の経験もふまえて考えてみた。少しでも勝利の可能性が高い、合理的な戦い方としてどんな展開が考えられるか、さまざまな選択肢を探ってみた。

「やはり最後まで離されずに食らいついていくしかないな」

そう結論した。序盤を戦った感触から、三洋は「今日は勝てる」と自信を持ったはずだ。しかし、たとえリードできなくてもいいから最後まで僅差を死守していけば、三洋の自信は「焦り」に変わる。「これほど攻めているのに差が広がらない」、そうした焦りが三洋に生じたとき、積極性が失せ、チャンスが広がると思った。

結果、そのとおりの展開となった。その意味であの試合は、三洋のペースで進んだのではなく、われわれが主導権を握り、こちらのペースに三洋を引きずり込んだといっても過言ではない。神戸を引き離したい三洋に対し、神戸はプランどおり、終始僅差で食らいついた。それが最後にイアン・ウィリアムスのトライを生んだのである。

◉自分たちの強みと弱みを自覚し、異なった視点から戦略を立てる

戦略を立てる際、もうひとつ大切なのは自分たちの「強み」と「弱み」とを正しく認識することである。先に、「自分の強みを活かすことが、代えのきかない存在になる近道である」と述べたが、チームや組織においてもそれは同様である。

現在の大学ラグビーは、早稲田大学と関東学院大学が圧倒的優位を誇っている。「バックスの早稲田、フォワードの明治、魂の慶応、自由自在な同志社」という言葉に代表されるように、かつての大学ラグビーは各チームがそれぞれ特徴を持っていた。が、逆にいえばそれは、それぞれに足りない要素があったからこそ生じた現象であった。

昔の早稲田はフォワードが小さかった。そこで明治をはじめとする強力フォワードを擁するチームに対抗すべく、バックスを中心とする展開力で勝負しようとしたのである。明治の場合はその逆だ。慶応は魂に活路を見出そうとした。同志社は型にはまらない自在なラグビーを目指した。つまり、それぞれの大学が、いわば自分の弱みを補うために強みに磨きをかけたというわけである。

ところが、今はどのチームも同じラグビーを志向するようになった。ジャージの色が同じなら、どこのチームか見分けがつかない。ラグビーが均質化しているのである。それぞれが情報を共有する中で、勝つためにもっとも効率のよいラグビーを選択したために、すべてのチームがおのずとひとつの方向に向かう結果となってしまったのだ。

ある意味、これは進化の過程であるからしかたない部分もあるのだが、しかし同じことをやっていては人材、環境、戦略などすべてに勝った早稲田や関東学院に勝てるはずがないのも事実である。

では、どうすれば早稲田や関東学院に勝つ可能性が出てくるのか。「面」で立ち向かっては絶対に無理だと私は思う。スクラムでもラインアウトでも何でもいい、何か一点でいいから、早稲田や関東学院を上回る強みを身につけ、そこから活路を見出すことが絶対に必要だ。いわば「一点突破、全面展開」である。

チームのバランスはものすごく悪くなり、試合がつまらないと非難されるかもしれない。けれども、そうやって相手をあわてさせなければ、勝ち目はない。というより、今の両チームに勝てるのは、そういうチームだと私は思う。

これを敷衍《ふえん》すれば、相手と自分たちの力を冷静に見極め、そのうえで、相手とは異なった視点から戦略を組み立てることが必要だということだ。

私が入社した頃の神戸製鋼は、ほかの強豪チームに較べるとフォワード、とくにスクラムが明らかに弱かった。当時の社会人ラグビーではスクラムの優劣が勝敗の行方を左右するとされており、フォワード中心のラグビーが展開されていたから、これは大きな弱みだった。

そのような状況の中で、われわれが勝つためにはどうすればいいのか。出てきた結論は、「ほかのチームのようにスクラムに固執せず、回避する」こと。そのためにわれわれはスペースを基軸に、ボールを大きく動かすラグビーを志向した。その結果、スクラムは相変わらずだったが、機動力を武器に初の日本一を達成することができたのである。

このことが意味するところは何か。それは、自分たちの弱みを「マイナス」と考えず、「プラス」に転化することの重要性である。スクラムが弱かったことが、逆に「スペースを探してそこにボールを運ぶ」という発想をわれわれにもたらしたように、たとえ「弱み」を抱えていても、視点を変えることで「別の力」を引き出すことができるのである。それが、ほかにはないその組織の「強み」になるわけだ。

逆に、現在の強みが弱みに変わる可能性があることも知っておかねばならない。たとえば、スクラムが強いのはたしかに大きなアドバンテージだが、そこにこだわってしまえばバックスの能力が退化してしまい、総合力はかえって弱まってしまう恐れがある。すばらしい製品開発力を持っているがために営業が軽視され、他社が同じ製品を開発すると、競争力で負けてしまうこともある。つまり、自分の強みに固執しすぎると、それは逆に「弱み」に転化してしまう可能性があるのである。

だからこそ、「弱みをマイナスではなくプラスとして捉え直す」という視点が大切なのだ。とともに、「強みも見方によってはマイナス要因となる」ことも頭に入れておくのだ。ラグビー日本代表監督だった頃、私は選手たちに「このチームの強みと弱みは何か」と問うたことがある。すると、ある選手が強みだと思っていたことを、別の選手は弱みとして捉えていることがあった。同じものでも見方や考え方が変わると、まったく反対のものとして映ることがあるのだ。

こうした認識の違いは、組織全体にとってマイナスになるとは限らない。選手たちに自分たちの力を評価させたことで、自分たちの強みと弱みがはっきりとわかっただけでなく、ふだんの練習で何をすればいいのかということが明確かつ具体的に浮かび上がってきたからだ。同時に、選手たちも自分の考えが固定観念にすぎないことに気づき、「そういう見方もあるのだな」とチーム全体や自分のプレーに対して柔軟に考えられるようになるという効果も生んだ。

自分たちの力を客観視し、強みを引き出すことは、その組織がほかの組織と闘うために必要不可欠である。その際、これまで述べてきたようにマイナスをプラスに転換することができれば、より効率的だといえるだろう。

◉チャンスとピンチの見極め

そうやって視点を変えれば、ピンチとチャンスの捉え方も変わってくる。それまでピンチだと考えられてきた状況がチャンスになるし、逆にチャンスだと思っていた状況がピンチに変わることもある。

たとえば、ラグビーのゲームで相手ゴールライン近くまで迫った地点でマイボールになったとする。ゴールラインを目前にして、こちらに攻撃権がある。誰もが「チャンスだ！」と思うだろう。

はたして、ほんとうにチャンスなのだろうか、と。たしかに状況的にはチャンスであることは間違いない。ただ、それがトライに結びつくかどうかは別問題なのである。少なくともトライできる確率は高くないといっていい。

考えてみてほしい。こちらがチャンスと思っているなら、当然、相手はピンチであると思っている。ということは、この状況では相手も通常以上に集中してくるに違いない。トライを阻止しようとして全力を傾けてくるはずだ。とすれば、いくらゴールライン目前であっても、そう簡単にトライを取れるものではない。おたがいの力が拮抗していればいるほど、トライの確率は低くなるのだ。

にもかかわらず、たいがいのチームは総力をあげてトライを取りにいく。その結果、たとえばモールで強引に押し込もうとして結局力及ばず、モールがつぶれてしまい、これを何度も繰り返したあげく、自ら反則を犯して、ボールを奪われてしまうケースがよく見られる。フォワードに自信があるチームほど、その傾向が強い。

だが、先ほどもいったように、相手にとっては絶体絶命のピンチなのであるから、必死に抵抗してくるのは当然なのだ。トライを取り損なうのは、ある意味必然なのである。

私がゲームリーダーを務めていたら、そこでトライを取ることには必要以上にこだわらない。押し込めないと判断すれば、適当なところで見切りをつけ、ボールを出して展開するなど、違う攻め方をする。そして、絶対にそこのエリアからは後退しないようにしながら攻撃権をキープし続ける。余力を残したまま攻撃を続け、相手の集中力が切れた瞬間に、一気にトライを取りにいく。

そもそも「ここでトライを取る」と思って取れるときは、こちらの力が相手よりかなり上回っているケースに限られる。相手はそれこそ必死の形相で向かってくる。向こうのほうが集中力は上なのだ。ましてモールのような単純な押し合いの場合、局所的であるだけに相手も力を集中しやすい。チャンスと見えても意外に盛り返されるケースが多いのは、そういうことである。

それでは、こちらが波状攻撃をかけたにもかかわらず、結局攻め切れずに大きく陣地を回復されたときはどうだろうか。ふつうは「残念、チャンスを逸した」と思うだろう。だが私は、むしろ「ここがチャンスだ！」と考える。相手にすれば、「ピンチ」を脱したことでそれまで張り詰めていた神経がゆるむはずだ。とすれば、そんなときほどこちらにはつけ入る隙があるわけだ。相手がホッとした瞬間を見逃さずに一気呵成《いっきかせい》に攻めるのである。

また、こういう戦法をとることもあった。たとえば相手がモールに絶対の自信を持っていた場合、状況によってはあえてモールでの勝負を仕掛ける。自信があるモールでつぶされると、相手はそれだけショックが大きい。そうやって前半でモールからトライを奪うと、相手は以降モールを使いにくくなる。モールで負けたことが尾を引き、不安のほうが大きくなってしまうのだ。そうなれば、こちらは戦いやすくなるわけだ。それに、モールを「押す」のが強いというのと、モールで「守る」のが強いというのは別物だという判断もあった。モールを押すのが強いチームは、意外に守りに回るともろかったりすることも少なくない。

◉状況を客観視する

では、そうした判断の基準は何か。私自身の体験を振り返ってみても、感覚としかいいようがない。根拠も曖昧である。相手の表情やしぐさをうかがっていただけである。

ただ、私がそうした判断をいつも下すことができたのは、自分と自分が置かれた状況をつねに「客観的に見る」ことができたからだと思う。ラグビーのゲーム中は、もちろんゲームに集中している。だが、その一方でそんな自分の状況を客観的に見ている自分がいるのである。入り込んで集中しているのは事実なのだが、同時に「素」になっている自分を発見するといってもいいかもしれない。

それこそ小学生の頃から私は、「自分のことを見ている、もうひとりの自分」がいることが不思議でならなかった。ある現象を見ている私を、もうひとりの私が同じように見ているのである。それがすごく気になった。「自分はおかしいのではないか」と感じた時期もあった。

けれども、こうした感覚は非常に大切な私の資質だと今は思っている。同じ状況を前にしても、視点を変えることで異なる判断ができるからだ。おそらく私にそうした能力が備わったのも、自分の弱みと強みとは何かを冷静に分析し、自覚してきたからという理由が大きいと思う。

だが、もっといえば、「リーダー」という肩書きを持っている人間だけがリーダーなのではない。

自分自身で考え、判断し、行動できる人間は、自分自身をより高みへと向かわせるという意味において、「リーダー」と呼んでいい。つまり、人は生まれながらにしてリーダーたりうるのだ。そして、そうした「強い個」である「リーダー」の集積が、矛盾を孕《はら》んでいる組織を前に推し進めていく原動力となるのだ。

おわりに

日本が開催国に立候補していた二〇一一年の第六回ラグビーワールドカップは、われわれの願いがかなわず、ニュージーランドで行われることになった。

一九八七年に始まったラグビーのワールドカップは、オリンピックやサッカーのワールドカップと並ぶ大イベントである。近年、人気・実力とも低迷が叫ばれる日本ラグビーに人々の眼を向かわせる意味でも、ワールドカップ開催は非常に大きなチャンスであっただけに、招致委員会のGMを務めていた私としても、非常に残念な結果ではあった。

だが、そのことをいつまでも悔やんでいてもしかたがない。われわれはこの結果を真摯に受け止め、近い将来の自国開催実現に向けて、次なる一手を考えなければならない。「未来を変える」ことに、われわれの力を集中させていくべきなのだ。

今回の日本の招致活動自体は決して悪くはなかったと私自身は思っている。私は、主に国内向けのスポークスマン的な役割を担うとともに、「テンダードキュメント」と呼ばれる書類の作成にも関わっていた。なぜ日本でワールドカップを開催するのか。そこにどのような意義があり、今後どのようなメリットを世界のラグビー全体にもたらすのか。そのために日本はどんな大会にしたいのか。そういったことを主催者であるインターナショナルラグビーボード（ＩＲＢ）にプレゼンテーションするための資料の骨子立案にも携わっていたのである。

このテンダードキュメントの中でわれわれが第一に掲げたのは、「アジアでのラグビーの普及・発展に寄与していく」ということだった。過去五回のワールドカップ全大会に出場を果たしているアジア唯一の国として、さまざまな活動を地道に行いながら、アジア全体のラグビーの活性化とレベルアップを図っていくことを表明したのである。

このことは当然、それまではほとんど未開拓の状態だったといってもいいアジアというマーケットを開くことにもなり、真の意味でラグビーのグローバル化につながっていくと思う。ＩＲＢも非常に興味を持ってくれたし、事実、一定の評価は得たと自負している。

しかし、現実問題として、やはり現在の日本における集客力という大きな壁があった。日本のナショナルチームの実力不足という問題も残念ながら影響した。もし決勝トーナメントに日本が進出できなかった場合、はたしてどれだけの観客がスタジアムに足を運び、どれだけの人々がテレビ中継を観てくれるのか。つまり、どれだけ日本人がラグビーというスポーツに熱狂してくれるのか。それを考慮すれば、やはり時期尚早という結論にいたったのは、感情を抜きにすれば妥当なものだったといわざるをえない。

ただ、ニュージーランドでの開催が決まったとき、「日本との共同開催」という方法もありえたな、と私自身思ったのも事実である。理由はこうだ。

ニュージーランドの単独開催では、第一に試合会場と宿泊施設の問題があげられる。スタジアムもホテルも、既存の施設では出場二〇カ国の選手・関係者はもちろん、各国のメディア、そして詰めかける観客をまかなえるだけの能力は現状ではないといっても過言ではない。

となれば、新たに建設するなり、既存施設の拡充を図るなりの必要が生じる。そうすれば大会は開催できるだろう。けれども、ワールドカップが終わったあとはそれらの施設をどうするのか。引き続き稼働できるとはとても思えない。そうしたことを考慮して施設の新設を抑えれば、場合によってはオーストラリアに宿泊せざるをえなくなるなどの可能性も否定できないのである。

第二に、集客力の問題も否定できない。ワールドカップは全五六試合行われる。これをペイするには一八〇〇万人の動員が必要だ。しかし、ニュージーランドの人口は三〇〇万人強でしかない。いくらラグビーが国技といっても、ニュージーランド戦以外はよほどの好カードでなければそれだけの動員は期待できないのではないか。

以上のようなポイントを考慮すれば、日本と共同開催を目指すほうが、ニュージーランドとしても有益だったのではないかと、今私は思う。その場合、日本で行う試合は、日本が入るワンプール（五カ国）だけでかまわない。決勝トーナメントもニュージーランドでやればいい。共同開催というより、部分開催である。ニュージーランドにとっても決して悪い話ではなかったはずだ。

日本のリスクも軽減できる。部分開催となれば施設は既存のもので充分だし、日本の試合は日本で行うのだから、それなりの集客も期待できる。日本が決勝トーナメントに進出するなどということになれば、大きなムーブメントが巻き起こることも期待できる。幸い、ニュージーランドと日本は時差も三時間程度だから、選手のコンディションに問題が生じることも少ないはずである。両国の利害が一致するのである。

そうやって視点を切り換えることで新たな可能性を探り、「マイナス」を「プラス」に転化することもできたのではないか。

もちろん、日本は二〇一五年、二〇一九年の開催に向かって努力を続けていかなければならない。それはアジアのラグビー発展、ひいては真のラグビーのグローバル化に向けての日本の使命でもある。これまでのように欧米にばかり眼を向けるのではなく、アジアの一員としてアジア諸国とひとつのユニットを組む中で、発展の可能性を探っていかなければならない。そのためには、私を含めたラグビー関係者がキャパシティを広く持ち、置かれた状況を的確に捉え、その中で最大の結果を得るために何をすべきなのか、大局的に判断することが重要だ。決してあきらめずに、自分たちの強みは何なのかを分析し、活路を見出していかねばならないと思う。

同時に、日本代表が国際舞台で活躍できるよう、強化を進めていく必要がある。そのためにはすべての力を目標に向かって集約できるような構造に変革しなければいけない。それを可能にする仕組みを日本ラグビー界全体で考えていく必要がある。

トップリーグの個々のレベルを上げていくのはもちろんだが、残念ながらそこだけが分断されて、レベルアップが必ずしも日本代表の強化につながっていないのが現状だ。そうではなくて、トップリーグ、大学、高校、そしてもっと下の世代を、日本代表を頂点とするピラミッドの中にきちんと位置づけなければならない。そのための明確なビジョンをわれわれは示さなければならない。それがラグビーに関わる人間の責任であると考えている。

【参考文献】

今北純一著『ミッション』新潮社
エドワード・L・デシ著　安藤延男、石田梅男訳『内発的動機づけ』誠信書房
宿沢広朗、山口良治、山田久志ほか著『キリカエ力は、指導力』梧桐書院

企画協力――メディアプレス　藤田健児

PHP新書

PHP INTERFACE
https://www.php.co.jp/

平尾誠二［ひらお・せいじ］

1963年京都生まれ。同志社大学大学院総合政策科学研究科博士前期課程修了。81年伏見工業高校でラグビー全国高校選手権大会優勝。85年同志社大学で史上初の大学選手権3連覇。英国留学を経て、86年神戸製鋼に入社する。入社3年目より7年連続日本一。87、91、95年のワールドカップに3大会連続出場。89年日本代表主将としてスコットランドを破り、91年ワールドカップでも初勝利を達成。日本代表キャップは35にのぼる。97〜2000年まで日本代表監督を務め、99年のワールドカップにチームを導く。その後、特定非営利活動法人スポーツ・コミュニティ・アンド・インテリジェンス機構(SCIX)を設立し、理事長に就任。現在、日本ラグビー協会理事、神戸製鋼ラグビー部ゼネラル・マネージャー。

おもな著書に『勝者のシステム』(講談社)、『「知」のスピードが壁を破る』(PHP研究所)などがある。

人は誰もがリーダーである

(PHP新書431)

二〇〇六年十一月二十九日 第一版第一刷
二〇一七年十二月十一日 第一版第四刷

著者――平尾誠二
発行者――後藤淳一
発行所――株式会社PHP研究所
東京本部――〒135-8137 江東区豊洲5-6-52
第一制作部 ☎03-3520-9615(編集)
普及部 ☎03-3520-9630(販売)
京都本部――〒601-8411 京都市南区西九条北ノ内町11
組版――朝日メディアインターナショナル株式会社
装幀者――芦澤泰偉＋野津明子
印刷所
製本所――図書印刷株式会社

ISBN4-569-65642-0

ＰＨＰ新書刊行にあたって

「繁栄を通じて平和と幸福を」（PEACE and HAPPINESS through PROSPERITY）の願いのもと、ＰＨＰ研究所が創設されて今年で五十周年を迎えます。その歩みは、日本人が先の戦争を乗り越え、並々ならぬ努力を続けて、今日の繁栄を築き上げてきた軌跡に重なります。

しかし、平和で豊かな生活を手にした現在、多くの日本人は、自分が何のために生きているのか、どのように生きていきたいのかを、見失いつつあるように思われます。そして、その間にも、日本国内や世界のみならず地球規模での大きな変化が日々生起し、解決すべき問題となって私たちのもとに押し寄せてきます。

このような時代に人生の確かな価値を見出し、生きる喜びに満ちあふれた社会を実現するために、いま何が求められているのでしょうか。それは、先達が培ってきた知恵を紡ぎ直すこと、その上で自分たち一人一人がおかれた現実と進むべき未来について丹念に考えていくこと以外にはありません。

その営みは、単なる知識に終わらない深い思索へ、そしてよく生きるための哲学への旅でもあります。弊所が創設五十周年を迎えましたのを機に、ＰＨＰ新書を創刊し、この新たな旅を読者と共に歩んでいきたいと思っています。多くの読者の共感と支援を心よりお願いいたします。

一九九六年十月

ＰＨＰ研究所

［地理・文化］